Os Remédios Florais do Dr. Bach Passo a Passo

Guia Completo para Prescrições

JUDY HOWARD

Os Remédios Florais do Dr. Bach Passo a Passo

Guia Completo para Prescrições

Tradução
ALÍPIO CORREIA DE FRANCA NETO

Editora
Pensamento
SÃO PAULO

Título original: *The Bach Flower Remedies Step by Step – A Complete Guide to Prescribing*.

Publicado pela primeira vez na Grã-Bretanha em 1990 por C. W. Daniel Company Ltd.

1ª edição 1990.

18ª reimpressão 2023.

Direitos de tradução para a língua portuguesa adquiridos com exclusividade pela
EDITORA PENSAMENTO-CULTRIX LTDA., que se reserva a
propriedade literária desta tradução.
Rua Dr. Mário Vicente, 368 – 04270-000 – São Paulo, SP – Fone: (11) 2066-9000
http://www.editorapensamento.com.br
E-mail: atendimento@editorapensamento.com.br
Foi feito o depósito legal.

SUMÁRIO

Com meus sinceros agradecimentos, dedico a:

Minha mãe e meu pai, por sua amável generosidade;
Keith, meu marido, por seu apoio e paciência;
Chris, minha verdadeira amiga, por seu prestimoso incentivo e pela sugestão para o título;
George e Vina, por sua gentileza e afeição;
Todos do Bach Centre, por sua dedicação, principalmente a meu pai, por sua grande força moral;
E a vocês, leitores, por se interessarem pela obra do Dr. Bach.

AGRADECIMENTO

Agradeço a Judy Howard, diretora do Bach Centre de Wallingford, por ter escrito este livro, mensagem de uma pessoa que dedica a sua vida a ensinar o caminho luminoso das flores do Dr. Bach, um caminho de cura que toca a essência do SER através da essência das flores. Este é um caminho capaz de nos proporcionar uma Vida em Plenitude, pois é um método simples, sutil e profundo, que pode restituir ao ser humano a paz interior e ajudá-lo a ser a pessoa que tem de ser nesta existência.

Campinas, 18 de outubro de 1990.
Carmen Monari

Capítulo Um

INTRODUÇÃO AOS REMÉDIOS FLORAIS DO DR. BACH

Não posso pensar num modo mais apropriado de introduzir os Remédios Florais de Bach do que mencionando sua companheira constante e dedicada assistente, Nora Weeks. Nora dedicou a vida à obra do doutor, preservando todos os princípios dessa obra e a essência mais vital e fundamental de tudo: sua simplicidade. O que se segue é um excerto de uma preleção por ela realizada há muitos anos; nela, a obra do Dr. Bach é belamente retratada pela pessoa que mais a conhecia.

"Queiram vocês, nos próximos trinta minutos, ou mais ou menos isso, desviar seus pensamentos da cura do corpo para a cura da pessoa enferma, pois o Dr. Edward Bach, depois de muitos anos de pesquisa, obteve o conhecimento de que a nossa saúde física depende do nosso modo de pensar, dos nossos sentimentos e emoções.

Boa saúde é harmonia, ritmo; é pensar de modo positivo, construtivo, feliz. A má saúde é pensar de modo negativo, infeliz, destrutivo.

Tal é o poder do pensamento, o poder que o homem tem sobre o corpo, o qual é, apesar de tudo, apenas o veículo, o carro utilizado pelo homem em sua viagem pela vida na terra.

Como alguns dentre vocês podem não conhecer nada acerca dos Remédios de Bach, eu gostaria de, primeiro que tudo, falar-lhes a respeito do próprio Dr. Bach, de como ele desenvolveu esse método de tratamento e de como encontrou os Remédios Florais.

A família era originária de Wales; desse modo, o nome deveria ser 'Bach', porém, seus colegas médicos sempre o chamavam de 'Batch', e, desde então, assim o temos feito.

Edward Bach educou-se e graduou-se no *University College Hospital* e obteve o Diploma de Saúde Pública (D. S. P.) em Cambridge, no começo dos anos de 1900. Sem dúvida era ele um estudante de medicina fora do comum, pois cedo se tornou mais interessado nos próprios pacientes do que nas doenças deles. Sentava-se à cabeceira da cama, deixava que lhe falassem e, ouvindo-os, descobria a real causa de sua má saúde. Por exemplo, a mulher com graves crises asmáticas era uma mulher muito assustada. Ela contou-lhe que seu único filho arrumara um emprego ao norte da Inglaterra havia mais de três meses, e que, durante todo aquele tempo, dele não recebera nenhuma notícia. Estava apavorada pensando na possibilidade de ter ele sofrido um acidente, estar gravemente ferido ou até mesmo morto. Porém, certo dia, o filho foi vê-la e lhe disse que encontrara um emprego mais perto de casa. Passados alguns dias, sua asma desapareceu completamente. Ela não necessitava mais prender a respiração pelo filho.

O homem com suspeitas de úlcera no duodeno era uma pessoa muito angustiada. Perdera o emprego, a mulher era incapaz de trabalhar e ele tinha dois filhos jovens. Posteriormente, quando soube que fora reintegrado ao trabalho, ele recobrou a saúde. Ele conseguiu um emprego e a úlcera desapareceu. Nos dias de hoje, os médicos afirmam que o aborrecimento é amiúde a causa de úlceras gástricas e duodenais, porém naquele tempo essa era uma idéia inteiramente nova.

Na ocasião, o Dr. Bach começou a sentir que ocupar-se dos sintomas físicos não era o bastante. O corpo era um espelho a refletir os pensamentos da mente. Era quem sofria, a pessoa, que necessitava do tratamento e da ajuda para vencer os aborrecimentos, o medo, a depressão, a desesperança. Ele sentia que um método de tratamento completamente novo era necessário, um método prático, pois as palavras não bastavam; era de pouca utilidade dizer a um homem angustiado: 'Não se preocupe, seja feliz.'

Porém, primeiro que tudo, o doutor queria comprovar e testar por si próprio outros métodos das medicinas ortodoxas, e tornou-se bacteriologista. Já era bastante conhecido por seu trabalho de pesquisa nesse ramo da medicina, porém este não o satisfazia. Ainda estava tratando dos corpos e não das pessoas, e muito o desagradava a inoculação de produtos da doença de volta no corpo humano. Entretanto, esses anos não foram perdidos, pois estava estudando seus pacientes, seus amigos, todos com que ele deparava, e observando as reações que tinham diante de todas as experiências da vida cotidiana, em atividade ou durante o lazer, em bom ou em mau estado de saúde; e esse conhecimento da natureza humana foi-lhe útil nos anos subseqüentes.

Além disso, ele travou contato com a homeopatia e ficou encantado ao deparar com o que Hahnemann, o fundador da homeopatia, dissera: 'O paciente é o fator mais importante na cura de si mesmo.' Outrossim, encantara-se com o fato de os remédios homeopáticos serem prescritos com vistas à personalidade do paciente, às suas características, às suas idiossincrasias, bem como aos sintomas físicos.

Por algum tempo, o Dr. Bach trabalhou nos laboratórios do *Royal London Homoeopathic Hospital*, e foi lá que ficou interessado na relação que existe entre a toxemia intestinal e a doença crônica. Gostaria de lhes falar um pouco sobre isso, porque o resultado dessa pesquisa lhe proporcionou um grande impulso rumo ao seu trabalho final.

Bach isolou sete grupos de flora intestinal, e a partir deles preparou nosódios de acordo com os princípios da homeopatia, dando-os oralmente a seus pacientes. O objetivo deles é lavar e purificar o aparelho intestinal. Digo 'é', pois esses nosódios, os sete nosódios de Bach, os sete nosódios dos intestinos, ainda hoje são usados. Foram eles os mais coroados de êxito.

Fez ele, então, a descoberta mais importante e significativa. Foi essa: a de que todos os pacientes, sofrendo das mesmas dificuldades emocionais, necessitavam do mesmo nosódio, independentemente do tipo de doença física. Os pacientes que estavam sujeitos a violentos acessos emocionais, a perturbações cerebrais, todos eles necessitavam do mesmo nosódio. Os nervosos, apreensivos – mais uma vez, todos eles não necessitavam de outra coisa senão do mesmo nosódio, não importando de que enfermidade física sofressem.

Daí em diante, o Dr. Bach prescreveu esses nosódios em conformidade com as dificuldades temperamentais dos seus pacientes apenas. Não havia nenhuma necessidade de um exame físico do paciente; os testes laboratoriais eram desnecessários, e o tratamento poderia se iniciar de uma vez só, sem demora. Os resultados foram excelentes.

Isso confirmou a opinião dele de que a doença física não era de origem física, mas, como ele dizia, era 'a consolidação de uma atitude mental'.

O Dr. Bach sentia então que poderia dedicar seu tempo e sua vida à busca de remédios puros que ajudassem a pessoa que estivesse sofrendo a superar seus pensamentos infelizes. Esses novos remédios, sabia ele que os devia achar lá, na natureza, entre as árvores e as plantas, pois todas as nossas necessidades são providas na natureza pelo nosso Criador.

Ele já conhecia o princípio do novo método de tratamento: 'Trate o paciente, não a doença', pois, quando fossem sobrepujados os pensamentos negativos, o corpo também reagiria.

Foi assim que, em 1930, ele deu por encerrado todo o seu trabalho em Londres e, sem nenhuma hesitação, foi viver no campo.

Do começo ao fim de todos aqueles anos de prática médica estivera buscando a prova científica de todas as suas descobertas e usando seu intelecto; porém, na ocasião, deu-se com ele uma mudança. Ele se tornou muito sensível não só na mente como também no corpo.

Antes de achar uma flor particular, ele haveria de sofrer em si mesmo, e muito agudamente, o estado mental negativo para o qual seria indicada aquela flor e, concomitantemente, ele era um privilegiado, como dizia, por sofrer de alguma enfermidade física. Então, ele vagaria pelos campos e veredas até que achasse, ou fosse levado a achar, a flor que haveria de restaurar imediatamente sua tranqüilidade e paz mental, e, em algumas horas, a enfermidade física também seria curada.

Desse modo, achou ele 38 flores para atender aos 38 estados mentais negativos de que pode sofrer a humanidade. Essas flores, à exceção de três, são todas simples flores silvestres da zona rural. Ele só fez preparar as flores, pois elas crescem acima do solo, à luz do sol e ao ar, e contêm em seus corações a semente embrionária, a vida continuada da planta. Vocês, por certo, hão de reconhecer muitas delas – *gorse* (tojo), *heather* (urze), *honeysuckle* (madressilva), *wild rose* (rosa canina), *chicory* (chicória), *agrimony* (agrimônia) –, e flores de árvores bem conhecidas de nós – *oak* (carvalho), *beech* (faia), *willow* (salgueiro), *larch* (lariço).

O Dr. Bach distribuiu em sete grupos os 38 remédios, de acordo com a seguinte classificação: para o medo; para a incerteza e para a indecisão; para a falta de interesse pelas circunstâncias atuais; para a solidão; para a extrema suscetibilidade a idéias e a influências; para o desânimo e o desespero; para a preocupação excessiva com o bem-estar dos outros.

Em seu livreto, *Os Doze Remédios & Outros Remédios*, ele descreve, com muita simplicidade, o estado mental negativo a que corresponde cada um desses remédios."

Nora Weeks
1973

A história completa da vida do Dr. Bach pode ser lida em *The Medical Discoveries of Edward Bach Physician*, de Nora Weeks. Trata-se de um belíssimo relato da carreira dele, da pesquisa e da ocasional descoberta das propriedades curativas das plantas que, em todo o mundo, se têm tornado tão conhecidas – os Remédios Florais de Bach.

Os 38 remédios constituem um completo sistema de cura, tendo sido cada planta escolhida especificamente por meio de sua função primeira – a capacidade de tratar da mente. As plantas comestíveis e os remédios herbáceos para outros estados têm seu próprio objetivo; por isso, o Dr. Bach deixou-os de lado em sua pesquisa, com vistas a um sistema de cura que fosse seguro e genuíno. Algumas pessoas se perguntam se, tivesse ele vivido mais tempo, teria acrescentado mais remédios, porém tal não teria feito, porque esses 38 remédios cobrem *todo* estado negativo da mente, não havendo, portanto, a possibilidade de que existam outros. E, em verdade, o Dr. Bach deu por encerrada sua obra pouco antes de morrer em novembro de 1936, pedindo que não fosse alterada, ao deixar o futuro dela nas mãos de seus dedicados assistentes e companheiros.

Assim, embora a sociedade moderna desafie nossas vidas com as pressões impostas pelo seu passo acelerado, com as mudanças no ambiente e com as doenças "modernas", a natureza humana não muda, e, posto que hoje podemos ter de enfrentar problemas diferentes dos da época do Dr. Bach, é nossa perspectiva emocional o que importa e o que permanece constante, seja qual for a época. O medo da AIDS ou do câncer não é, nos tempos hodiernos, diferente do medo da difteria ou da varíola, que predominavam durante a época em que viveu Bach. Os remédios tratam da perspectiva mental das características da personalidade; do temperamento do doente, em vez de se ocupar diretamente da enfermidade física; desse modo, o *medo* é que é importante, não a varíola nem a AIDS. Os remédios do Dr. Bach tratam da pessoa, não da doença, e, embora mudem os tempos, os remédios andam ao lado das pessoas, não do tempo.

Capítulo Dois

OS 38 REMÉDIOS

Era intenção do Dr. Bach que o uso dos remédios fosse fácil e simples para que todos compreendessem. Dizia ele:

> *"Esse trabalho de cura foi realizado, publicado e dado generosamente de maneira a fazer com que pessoas como vocês possam ajudar a vocês mesmos na enfermidade ou para que se conservem saudáveis e fortes. Não requer ele nenhuma ciência; apenas um pouco de conhecimento, da simpatia e do entendimento da natureza humana, que é comum a quase todos nós."*

Simplicidade era a sua palavra-chave, e foi com essa simplicidade ocupando de modo resoluto o primeiro lugar em sua mente que ele escreveu *Os Doze Remédios & Outros Remédios*, que descreve de forma simples e delicada o modo como cada remédio está associado aos vários estados mentais e aos pontos de vista de cada um. Este livreto é o texto definitivo e, pois, o mais essencial de todos os livros relacionados com os Remédios de Bach.

O Dr. Bach classificou os 38 remédios sob sete rubricas:

1. Para o medo (*Rock Rose, Mimulus, Cherry Plum, Aspen, Red Chestnut*).
2. Para a incerteza (*Cerato, Scleranthus, Gentian, Gorse, Hornbeam, Wild Oat*).
3. Para a falta de interesse pelas circunstâncias atuais (*Clematis, Honeysuckle, Wild Rose, Olive, White Chestnut, Mustard, Chestnut Bud*).
4. Para a solidão (*Water Violet, Impatiens, Heather*).
5. Para as pessoas demasiado suscetíveis a influências e a idéias (*Agrimony, Centaury, Walnut, Holly*).
6. Para o desânimo ou para o desespero (*Larch, Pine, Elm, Sweet Chestnut, Star of Bethlehem, Willow, Oak, Crab Apple*).
7. Para a preocupação excessiva com o bem-estar dos outros (*Chicory, Vervain, Vine, Beech, Rock Water*).

Com o propósito de entender este livro, obviamente é necessário descrever aqui cada remédio, e, para uma fácil referência, aparecem eles em ordem alfabética.

AGRIMONY

Esse remédio destina-se a quantos ocultam seus sentimentos por trás de um rosto audaz e feliz. Normalmente, essas pessoas são brilhantes e felizes, joviais, e os outros raro percebem a ansiedade que pode abrigar-se dentro delas. A dor, o aborrecimento e a má saúde são escamoteados com um dito jovial e alegre, pretendendo que tudo está bem. O pesar interior dessas pessoas lhes pode ser, vez por outra, uma tortura. Porém, elas tentam ainda conservar um sorriso, de modo que permanecem ocultos seus sentimentos. Mas conservar a máscara apropriada só faz aumentar o fardo que carregam. O remédio extraído da *agrimony* ajuda os que são dessa natureza quando estão em dificuldade a relaxar interiormente, de modo a poder encarar na devida perspectiva suas dificuldades e, se necessário, compartilhar seus problemas.

ASPEN

Ao *Aspen* freqüentes vezes se tem referido como sendo "a árvore que treme" porque suas folhas parecem tremular e sussurrar à brisa. Isso é inteiramente adequado, devido ao fato de ser para o medo o remédio dele extraído. Não para o medo de conhecer as coisas – para isso, o remédio é o *Mimulus* – mas para os medos de causa desconhecida, que podem ser inteiramente perturbadores e infundir, sem nenhuma razão aparente, o pânico na pessoa que sofre. O medo relacionado com o *Aspen* assume a forma da apreensão, da preocupação ansiosa, do pressentimento ou do pavor. Porém, quando se pergunta à pessoa que sofre de que ela tem medo, nada específico se pode identificar, e ela não pode explicar quando ela é tão medrosa.

BEECH

Os que requerem esse remédio acham difícil entender os defeitos das outras pessoas. As pessoas que têm afinidade com *Beech* podem ser muito severas quanto ao comportamento daqueles a quem consideram estúpidos, néscios ou ignorantes e, portanto, freqüentes vezes falta-lhes tolerância e empatia. Consideram maçantes os hábitos e as idiossincrasias das pessoas e, posto que a si próprios considerem perfeccionistas, acham difícil aceitar que os outros também tenham o próprio conjunto de idéias e que, portanto, poderiam ter boas razões para agir do modo como agem. As pessoas que têm afinidade com *Beech* não são necessariamente objetivas – de muitos modos podem elas parecer inteiramente pacientes e calmas; no entanto, amiúde fervilha dentro delas a irritação! O remédio extraído da *Beech* ajuda os que são dessa natureza a pôr-se por um momento no lugar do outro, a fim de adotar uma atitude mais compreensiva e tolerante.

CENTAURY

Este é o remédio que dá forças a quantos acham difícil defender a si próprios. São pessoas repletas de delicadeza; sempre demonstram disposição, sempre estão ansiosas por ajudar ou ser úteis. Dizer "não" é algo contrário à sua natureza, bem como não gostam de humilhar ninguém; devido à sua natureza gentil e generosa, são facilmente dominadas ou manipuladas e, freqüentes vezes, se consideram vítimas de personalidades mais fortes e mais poderosas, as quais podem tirar vantagem de sua generosidade. O tipo *Centaury* pode então fatigar-se pelo excessivo trabalho e começar a desprezar a si próprio por ser tão fraco. O remédio ajuda essas pessoas gentis a continuar com sua gentileza porém firmes quando surge a necessidade, de modo a obterem mais respeito e admiração.

O Dr. Bach descreveu belamente o caráter do tipo *Centaury* numa breve história:

> *"Sou fraco, sim, eu sei que sou fraco, mas por quê? Porque aprendi a odiar a violência, o poder e a dominação, e se de fato eu errar por fraqueza, perdoe-me, pois trata-se apenas de uma reação*

à aversão quanto a ferir os outros, e cedo aprenderei o modo como achar o meio-termo no momento em que tiver de ferir ou ser ferido. Mas, por enquanto só preferiria sofrer a causar um momento de dor ao meu irmão."

CERATO

Esse remédio é para quantos desconfiam do próprio julgamento. Quando tomam uma decisão, eles a questionam, e freqüentes vezes pedem o conselho ou a opinião dos outros como uma forma de afirmação e de confirmação. Ah! Essas pessoas podem ser governadas pelos pensamentos e pelas idéias daqueles cujas opiniões buscam e, em conseqüência disso, podem tomar o caminho errado. Então, dizem "EU SABIA que deveria ter agido exatamente daquela maneira". Ou poderiam se aconselhar com cada um dos amigos, perguntando-lhes "O que deverei fazer?", "Se você fosse eu, o que faria?", e, então, tendo absorvido todas as respostas, decidir-se, depois de tudo, a agir à própria maneira! O tipo *Cerato* desperdiça muito tempo em seu dilema de não poder perder as oportunidades. Contudo, isso difere da indecisão característica do tipo *Scleranthus*, porque comumente essas pessoas não exprimem sua incerteza, ao passo que os tipos *Cerato* necessitam recorrer às opiniões alheias para tornar claros os próprios pensamentos. Eles também diferem das pessoas do tipo *Larch* porque, conquanto às pessoas típicas do *Cerato* falte segurança nos juízos que expressam, uma vez que chegam a uma conclusão, têm segurança para aceitar o desafio e freqüentemente obtêm êxito. A pessoa de *Larch* antes recuaria e deixaria que a oportunidade passasse, sentindo-se assaz inibida para tomar qualquer iniciativa.

CHERRY PLUM

Esse remédio é para o medo desesperado de que a mente entre em retrocesso, para o medo da loucura e do impulso a causar dano a outras pessoas ou a si mesmo. É, pois, o remédio para as pessoas que andam pensando em suicídio. Ao estado característico de *Cherry Plum* pode suceder um longo período de ansiedade ou de depressão, e os que se encontram nessa estrutura mental desesperada estão freqüentes vezes no limite de um esgotamento nervoso ou sentem que estão à beira da loucura. Entretanto, esse remédio também pode ser de valia quando a disposição de ânimo é de uma natureza intensa ou imprevisível, e é indicado sempre que há falta de controle emocional, tal como em súbitas explosões emocionais e, vez por outra, crises de raiva, violência ou histeria que não são características da pessoa e que, por essa razão, está incluído no Remédio para Todas as Situações (ver página 45).

CHESTNUT BUD

O botão viscoso e maduro de *Horse Chestnut* é o remédio apropriado para ajudar os que não conseguem aprender com as lições que a vida nos dá. Quando, em face de uma situação pela segunda ou pela terceira vez, essas pessoas não guardam consigo a experiência que tiveram quando do primeiro incidente e, assim, se vêem cometendo o mesmo erro, algumas vezes repetidamente.

Chestnut Bud ajuda essas pessoas a observar as lições de cada experiência, de modo a não sofrer a dor dos erros cometidos novamente.

CHICORY

Chicory é o remédio para as pessoas do tipo "maternal". São amáveis e gentis, porém têm a tendência de cumular os outros de atenção exagerada, e, portanto, estão propensos a ser superprotetores. Essas pessoas são mais felizes quando se sentem necessárias, tendo à sua volta uma família para organizar e dirigir. Essa amável preocupação, contudo, pode às vezes tornar-se excessiva, fazendo com que aqueles por quem se preocupam se sintam sufocados por essa preocupação intensa e emocional. Elas então tentam se agarrar aos seus entes queridos, tornando-se egoístas e possessivas; sentem-se rejeitadas e se magoam facilmente, adotando a atitude do tipo "ninguém gosta de mim". O remédio extraído de *Chicory* ajuda essas pessoas a se esquecer, a amar e a aconselhar sem exigir em troca amor e atenção. É também útil para as crianças que "se apegam", que demandam constante atenção, e que se tornam possessivas em relação aos amigos ou aos brinquedos.

CLEMATIS

As pessoas do tipo *Clematis* são freqüentes vezes de natureza criativa, artística, e adoram ter alguma coisa por que aguardar ansiosamente, ter algo acerca do que conjecturar. Pode-lhes, pois, faltar interesse pelas coisas atuais, porque suas mentes estão cheias de esperança e de sonhos quanto ao futuro. Essas pessoas podem tornar-se desatentas, sonhadoras e dispersivas, e parecer estar em um mundo que lhes é próprio, alheias quanto ao que se passa em torno a elas. Propendem a perder a concentração e facilmente se aborrecem com uma conversa ou com um acontecimento que não é dinâmico o bastante para prender-lhes a atenção.

Pode-se dizer do tipo *Clematis* que ele escuta sem ouvir, que olha sem ver, que esquece o que está a dizer ou o que dele se diz. Esse remédio é indicado sempre que é visível semelhante estado mental, e também é útil nos casos de escapismo mental, principalmente num mundo de sonho e de torpor (como o rato de *Alice no País das Maravilhas!*). Esse remédio é, portanto, útil nos casos em que a consciência parece perdida, atordoada, em que existe uma sensação de tontura ou um estado mental de ebriedade, e, por essa razão, ele está incluído no Remédio para Todas as Situações (ver página 45).

CRAB APPLE

Este é conhecido como o "remédio da limpeza", e é indicado sempre que existe certo sentimento de se ter sido conspurcado, por exemplo, pela doença, pela poluição, por tocar um objeto sujo ou por se lidar com material contaminado. Em tais casos, existe um intenso sentimento de impureza e uma compulsão para livrar o sistema desse "veneno". Por vezes, esse impulso é tão grande que aqueles que necessitam desse remédio sentem que devem se banhar repetidas vezes por estarem convencidos de que, de algum modo, foram contaminados. Eles podem ser muito orgulhosos do lar e extremamente exigentes com respeito à higiene em geral, inspecionando rigorosamente, por exemplo, os talheres antes de comer num restaurante.

Crab Apple é também indicado nos casos em que existe um sentimento de desgosto ou de aversão por si próprio, quando causa repulsa o reflexo de si mesmo num espelho; e para aqueles que se revoltam com coisas tais como a comida e a alimentação, as funções fisiológicas, o sexo ou a doença.

Outro aspecto deste remédio está na ajuda que dá àqueles cujas mentes estão repletas de detalhes triviais em detrimento dos mais importantes. Nora Weeks deu um exemplo da mulher de coragem que estava mais preocupada acerca da poríase nos seus cotovelos do que do câncer inoperável de que estava sofrendo. Esse remédio ajuda essas pessoas a ver as coisas na sua real dimensão. O Dr. Bach descreveu-o como "o remédio que nos ajuda a nos libertar de qualquer coisa que nos desagrade em nossa mente ou em nosso corpo".

ELM

Elm é o remédio para aqueles que, vez por outra, acham que as pressões e a responsabilidade do trabalho ou dos compromissos com a família se tornam assoberbantes, deixando-os com a sensação de estarem inadaptados ou esgotados. São eles comumente pessoas capazes, e na verdade podem ocupar uma posição responsável, mas quando o fardo da responsabilidade que têm, seja ela qual for, começa a aumentar, torna-se de tal modo pesado que não o conseguem suportar. O estado relacionado com *Elm* pode, em tais circunstâncias, dar lugar ao pânico, quando não se é capaz de lutar e de vencer, e os que sofrem desse modo acham que chegaram ao fim de sua resistência. Isso pode ser particularmente estressante se a pessoa envolvida ocupa um cargo de importância, quando são cruciais sua capacidade e competência, ou se é uma pessoa com quem outras pessoas contam. O remédio ajuda a tranqüilizar a mente, de modo que o problema pode ser analisado e trazido à vista e pensado clara, racional e metodicamente, estimulando assim a volta da segurança temporariamente perdida.

GENTIAN

Esse remédio é para o desânimo e para o desalento resultantes de um desapontamento; por exemplo, fracassar numa prova ou sair-se mal numa entrevista, perder o emprego e outros acontecimentos ou reveses que fazem a pessoa sentir-se deprimida. *Gentian* também é útil quando a mente está repleta de dúvidas quanto à capacidade que a pessoa tem de ser bem sucedida depois de ter passado por um malogro inicial, ocasião em que se está propenso a perder a fé. O remédio extraído de *Gentian* eleva o ânimo e proporciona o estímulo necessário para se perseverar ou se tentar novamente. Ele ajuda a dispersar o pensamento negativo e permite a volta de uma atitude positiva, de modo que, em vez de se afundar num poço de autodesconfiança e de infelicidade, o modo como a pessoa se acerca do desafio que tem à sua frente, seja ele qual for, torna-se muito mais otimista. "Eu *serei* bem sucedido", é o lema do tipo *Gentian*!

GORSE

Se o desânimo do tipo *Gentian* é "cortado pela raiz" e tratado de maneira apropriada, o desespero do estado relacionado com *Gorse* será prevenido. Porém, às vezes a transição de um estado de ânimo para outro dá-se tão velozmente que o estado mental relacionado com *Gorse* ocorre inesperadamente. O desânimo logo se muda em desespero, e a pessoa que sofre torna-se tão desolada que se sente invadida de total desesperança. Uma segunda tentativa, depois de um fracasso decepcionante, parece inútil, e a pessoa de *Gorse* não tentará novamente. Quando enferma, essas pessoas não esperam recobrar a saúde, e abandonam qualquer esperança de melhorar. Se se busca ajuda, isso se deve amiúde à persuasão de um amigo, porém o tipo *Gorse* é tão pessimista que nada espera do tratamento médico. Poderiam essas pessoas dizer: "Bem, vou tentar, já que é o que você quer, mas não acho que me fará nenhum bem. Nada pode ajudar; portanto, não adianta se aborrecer." Se, contudo, essas pessoas de fato dão uma oportunidade ao remédio, a esperança principiará a voltar, tirando-as desse estado de melancolia e ajudando-as a dar-se conta de que nem todas as suas perspectivas e oportunidades estão perdidas.

HEATHER

Ao tipo *Heather* pertencem as pessoas palradoras! O Dr. Bach chamou-as afetuosamente de "tagarelas", porque gostam de se achegar de você e falar desenfreadamente. Também gostam de tocá-lo, cutucá-lo ou segurar-lhe o braço para prender-lhe a atenção. Apreciam falar acerca de si próprias, da sua família e dos seus amigos, e, quando doentes, não falarão de nada a não ser de suas aflições. Os que os ouvem têm dificuldade em participar da conversa, e, mesmo quando o fazem, isso só serve para alimentar o tipo *Heather* com uma deixa ou com um lembrete para que conte mais uma história acerca de si mesmo! Essas pessoas não gostam de estar sozinhas, e, quando estão, são infelizes e vazias pois vivem da vitalidade dos outros, extraem a seiva da força alheia, deixando-os esgotados. Por essa razão, todos procuram evitá-las e elas, como conseqüência, tornam-se solitárias. Nora Weeks descreveu um homem que era desse tipo. . . "Se ele o visse chegando, desceria da bicicleta, a encostaria em um muro e daria início a uma longa conversa. Falar-lhe-ia acerca de sua catarata, de suas varizes, de sua indigestão e, se você tentasse se esquivar, ele o agarraria pelo braço dizendo: 'Mas preciso lhe contar a respeito de. . .'. Finalmente, ele veio solicitar o tratamento para uma erupção que lhe aparecera nas mãos. Foi-lhe dado, é claro, o *Heather* e ele pouco e pouco começou a se interessar pelos outros, a ouvi-los em vez de falar acerca de si mesmo. As pessoas começaram a gostar dele e a erupção desapareceu."

Outra indicação para o uso de *Heather* é o momento em que a pessoa está totalmente ensimesmada ou obcecada com os problemas ou com as suas inquietações, quando a mente não pensa em nada além disso. O remédio, então, ajuda a pessoa nessas condições a tirar esses problemas de sua mente, passando, assim, a considerar outras questões importantes da vida que exigem a sua atenção.

HOLLY

Esse remédio é para o ciúme, para a inveja, para o ódio, para o espírito de vingança e para a dúvida. A emoção é forte e ardente, e pode provocar explosões de mau humor. Sentimentos semelhantes que causam um ressentimento mais profundo, mais sombrio, são tratados com *Willow* (página 45), ao passo que *Holly* é usado em sentimentos mais explosivos. Dependendo da personalidade envolvida, esses sentimentos podem ou não ser revelados exteriormente. Algumas pessoas guardarão seus sentimentos para si mesmas; em outras, o temperamento delas irritar-se-á, o que poderá requerer o acréscimo de *Cherry Plum* caso haja uma perda do controle emocional e o receio de se tornar violento. As emoções características de *Holly* podem outrossim gerar muita revolta, porém "revolta" é uma palavra que pode descrever muitos estados da mente tais como frustração (*Vervain*), agressão (*Vine*), intolerância (*Beech*), impaciência (*Impatiens*), e, desse modo, é necessário considerar as *causas* e as *razões* da revolta para se determinar se *Holly* é de fato o remédio mais apropriado.

HONEYSUCKLE

Aqueles que se encontram nesse estado de ânimo perdem muita coisa da vida porque estão pré-ocupadas com os acontecimentos do passado, sejam eles felizes ou tristes. Vivem das memórias do passado, dos pensamentos da meninice, da nostalgia, dos pesares pelos erros outrora cometidos ou das oportunidades perdidas, e despendem seu tempo a relembrar sentimentalmente os "velhos dias" que foram tão bons, a desejar que as coisas voltassem a ser como foram ou que tivessem sido diferentes. "Se ao menos" é a expressão freqüentes vezes repetida por quantos têm necessidade desse remédio. O estado mental cedo se pode transformar numa perda de interesse pelas questões e exigências do momento atual. Você se recordará do escapismo mental característico do tipo *Clematis*, que sonha com o futuro – as pessoas do *Honeysuckle* refugiam-se no passado.

Esse remédio pode ajudar os que perderam um ente querido (juntamente com *Star of Bethlehem*, indicado para o choque, a tristeza e para a dor – ver página 38), quando a mente está repleta de lembranças acerca da pessoa perdida. *Honeysuckle* ajuda essas pessoas a lembrar e a refletir sobre a felicidade passada, e nutre suas memórias sem perder de vista a importância de sua própria existência. Afinal de contas, a vida precisa continuar!

Às vezes as lembranças são desagradáveis e perturbadoras, e podem assombrar a mente da pessoa com a vívida recordação de uma experiência infeliz ou traumática. Isso pode ter repercussões durante o sono, e gera sonhos recorrentes ou pesadelos (ver também *Rock Rose* para o terror – página 36).

Honeysuckle ajuda a concentrar a mente no presente, e mostra o passado na sua justa perspectiva, permitindo-nos incorporá-lo à nossa experiência e momentaneamente recordar alguma lembrança agradável ou alegre, sem que ela domine nossos pensamentos.

HORNBEAM

Esse remédio dá força emocional a quantos não podem encarar o dia que têm pela frente ou que não podem se entusiasmar acerca de algum projeto ou de alguma tarefa que tenham de realizar. Isso não se deve à exaustão nem ao cansaço pelo trabalho excessivo – caso que requer o remédio extraído de *Olive* (página 34) – porém é, antes, um cansaço mental do *pensamento* quanto ao que se tem pela frente. Causa ele procrastinação e letargia, de modo que o trabalho que uma vez foi um prazer torna-se um fardo. Contudo, essa sensação se parece mais com o que chamamos de "sensação de uma manhã cinzenta de segunda-feira" que todos conhecem, de modo que, uma vez iniciado o trabalho e retomada a rotina, o sentimento desaparece.

IMPATIENS

Impatiens, como sugere o nome, é apropriada para os estados de impaciência e de irritabilidade. As pessoas que têm esse temperamento tendem a ser rápidas no pensar e no agir. Tudo é feito às pressas; elas não podem esperar. As pessoas com essa natureza podem tornar-se inteiramente rudes com aquelas que são lentas e podem se ver tentadas a completar por você uma frase, ou tentar terminar o trabalho que você está fazendo. As pessoas características de *Impatiens* tendem a ser inquietas, irritadiças e nervosas. Movimentam-se e conversam velozmente, e a linguagem do seu corpo também as pode trair – pois gesticulam nervosamente, olham insistentemente para o relógio, andando de um lado a outro na direção da porta. O remédio simplesmente ajuda essas pessoas a readquirir sua estabilidade, de modo a fazer com que o ritmo de vida não seja tão acelerado, e as façam ir devagar e, em passo normal, desfrutar do prazer de viver.

Esse remédio é indicado sempre que há irritabilidade ou inquietação devidas à impaciência, e, conquanto haja um "tipo" *Impatiens*, como foi descrito acima, o remédio beneficiará as pessoas de qualquer personalidade se esse for seu estado de ânimo predominante. Ele está incluído no Remédio para Todas as Situações, por seu efeito tranqüilizante, quando o trauma acarretou certo grau de agitação mental.

LARCH

As flores vermelhas dos longos ramos de *Larch* ajudam as pessoas que carecem de confiança em si próprias. *Larch* é para o tipo de pessoas que, conquanto possam ter capacidade ou aptidão, não a acreditam em si mesmas e, por isso, recuam, ficando à sombra, permitindo que os outros lhes tomem o lugar. Por conseguinte, muitas das oportunidades da vida lhes passam despercebidas, devido à sua falta de autoconfiança. Se uma oportunidade lhes cruza o caminho, elas ficam inclinadas a dizer "provavelmente eu não seria capaz de fazê-lo", duvidosas de sua capacidade e receosas do fracasso. Isso contrasta com as personalidades e características de *Cerato*, que depositam fé na própria capacidade de pôr em execução um certo empreendimento, mas que duvidam tanto da própria capacidade de julgar que se atrasam e amiúde não o levam a cabo.

Disse o Dr. Bach: "Mergulhemos na vida. Estamos aqui para adquirir experiência e conhecimento, e aprenderemos muito pouco, a não ser que encaremos a realidade e busquemos dar o máximo de nós." O remédio extraído de *Larch* ajuda os que não têm bastante confiança em si a serem um pouco mais audaciosos, de modo que também eles possam mergulhar na vida.

MIMULUS

Esse é o remédio para o medo de se tomar conhecimento das coisas – medo de doenças, da pobreza, da vida solitária, de viagens, da morte ou de ferimentos – os medos da vida cotidiana. Esse remédio ajudará as pessoas, qualquer que seja a sua personalidade, se elas forem medrosas; porém em *Mimulus* há um aspecto que descreve um certo tipo de pessoa. Os que têm a natureza do *Mimulus* freqüentes vezes têm medo das pessoas e são tímidos, nervosos ou reservados. Ficam pouco à vontade diante de quem conhecem e tendem a enrubescer facilmente ou a gaguejar na presença delas. Portanto, não gostam de reuniões sociais por se sentirem demasiado constrangidos para delas participar e se sentem intimidados com a expansividade das outras pessoas. O remédio extraído do *Mimulus* ajuda essa gente tímida, retraída, a ter coragem para enfrentar seus medos e, à medida que o fazem, esses medos diminuem, justo como um cômodo escuro deixa de ser assustador quando se acendem as luzes.

MUSTARD

Mustard é o remédio para o tipo de depressão que baixa como uma negra nuvem e que tolda o brilho do sol e a alegria de viver. A disposição de ânimo, então, mergulha na infelicidade e na melancolia, o coração opresso. As pessoas que sofrem do estado característico de *Mustard* são muito infelizes; porém, quando perguntadas quanto ao por que de se sentirem dessa forma, não podem encontrar uma razão. Freqüentemente dirão que têm tudo o que querem, uma família adorável, um lar confortável, férias e que não têm dificuldades financeiras; no entanto, se sentem inferiores, e não podem entender por quê. Mas a depressão característica da *Mustard* nunca tem um motivo. A disposição de ânimo decai sem nenhuma razão evidente, e pode continuar por dias, semanas e até meses, até que, ao cabo, se exalte tão súbito quanto decaiu, só para voltar a cair repetidas vezes num ciclo variável. O remédio extraído de *Mustard* ajuda a dissipar a negra nuvem que obscurece a vida dessas pessoas e, desse modo, permite que o brilho do sol lhes encha uma vez mais a existência.

OAK

Há muito pouco de negativo acerca do temperamento característico de *Oak* — são essas pessoas as batalhadoras, que não deixam de ter esperança nem cedem à adversidade. São resistentes e confiantes, justo como a própria árvore do *Oak*, e os outros com freqüência acorrem à personalidade do *Oak* a procura de orientação ou conforto. Quando doente ou incapacitado, o temperamento característico do *Oak* continuará lutando indiferentemente, a despeito de o seu corpo pedir repouso, considerando que tais restrições constituam um obstáculo. Eles são do tipo que simplesmente arregaçam as mangas da camisa e dão continuidade ao trabalho! Mas às vezes essas pessoas podem levar as coisas longe demais e, por ter ignorado os sinais de alarme da fadiga ou da dor, acham que já não têm o mesmo vigor que as caracterizava. Isso faz com que se sintam infelizes e aborrecidas com elas mesmas, e é *então* que necessitam do remédio extraído do *Oak* para que este as ajude a recuperar as forças.

OLIVE

Este remédio é apropriado para a exaustão, para as pessoas que sofrem quando estão tendo drenada a própria energia de maneira que se sentem demasiado cansadas para continuar. O cansaço característico de *Olive* difere do que é característico de *Hornbeam*, porque as pessoas de *Olive* se afadigam devido ao excesso de trabalho ou ao esforço desmedido. As pessoas de *Hornbeam* não podem achar entusiasmo nem mesmo para começar o trabalho. Desse modo, tendo exaurido a força que têm, a vida em si mesma torna-se um árduo trabalho para as pessoas de *Olive* e, ao cabo, deixa de ser divertida. Quando ocorre esse estado, *Olive* ajuda a dar nova vida e a reabastecer a energia perdida. Esse remédio também é útil para os que estão se preparando para prestar exames, e para os envolvidos com um trabalho mental intricado e pesado, bem como para os que se encontram fisicamente extenuados. Também é recomendado nos períodos de convalescença, quando a pessoa está fraca e sem forças.

PINE

O remédio extraído de *Pine* é indicado para os sentimentos de culpa. Esta pode ser proveniente do passado, com o conseqüente sentimento de culpa alimentado durante muitos anos, ou pode ser devido a alguma coisa mais recente. Os que necessitam desse remédio são os que freqüentemente responsabilizam a si próprios até mesmo pelos erros alheios, e que estão sempre se desculpando. São pessoas cheias de remorso, que oprimem a si mesmas com auto-reprovação, mesmo quando acontece de não terem feito nada errado.

RED CHESTNUT

Esse remédio é para ajudar as pessoas que têm medo de que algo aconteça aos seus entes queridos. É natural certa apreensão quando os filhos ficam longe de casa pela primeira vez, ou quando o seu companheiro tem de fazer uma longa viagem; porém, para as pessoas do tipo característico de *Red Chestnut* esse medo é totalmente desproporcionado, e elas se tornam desesperadamente receosas de que algum desastre aconteça, de que seus filhos apanhem uma pneumonia se acaso não se mantiverem agasalhados ou de que seu companheiro seja envolvido num acidente, e essas pessoas não descansarão até que seus entes queridos estejam seguros em casa novamente. Elas não se preocupam com elas mesmas – sua única preocupação é com a saúde e com a segurança da família. O amor que sentem não se torna egoísta nem possessivo, como o do tipo *Chicory*; porém, devido a serem elas tão medrosas e preocupadas, tendem a cumular de atenções exageradas e a aborrecer com ninharias, o que, como o tipo característico de *Chicory*, pode fazer com que seus entes queridos se sintam oprimidos por essa preocupação, e isso pode instilar medos semelhantes nos filhos e, assim, exaurir a confiança natural deles. O remédio extraído de *Red Chestnut* ajuda essas pessoas a considerar esse medo na sua devida perspectiva, de modo que possam amar e cuidar da família sem perder de vista o pensamento racional ou a realidade da situação.

ROCK ROSE

Esse remédio é apropriado para o medo extremo; para o terror, para o pânico, que nem sempre é racional, porém é, sem embargo, muito real. Os que sofrem desse estado mental estão deveras apavorados, e, em conseqüência disso, podem tremer e transpirar devido ao horror. Esse medo terrível pode ser o resultado de um acidente horroroso, que fez com que a pessoa tenha pavor de viajar, de se submeter a uma operação delicada, de necessitar de hospitalização e assim por diante. *Rock Rose* seria indicado em todas essas circunstâncias e ajudaria não só as crianças como também os adultos atormentados por pesadelos. Não convém confundi-lo com a descrição do *Mimulus*, remédio para todos os medos conhecidos. Se o medo gera o pânico ou o terror absoluto, *Rock Rose* sempre será o remédio mais apropriado.

ROCK WATER

As pessoas que têm essa natureza são tão rigorosas consigo próprias que são capazes de viver segundo um severo regime ou uma série de critérios. Podem ser muito religiosas ou ter certas idéias que governam suas vidas, e como se esforçam para alcançar esses ideais ou para seguir sua fé particular, elas punem a si próprias se se desviam do caminho determinado. Esperam encontrar a perfeição em tudo o que fazem, e não apreciam nos outros a falsidade, a indolência ou qualquer atitude semelhante. Contudo, não criticam abertamente os defeitos das pessoas, mas fazem o papel de mártires, demonstrando sua desaprovação dando um exemplo para que os outros sigam. São pessoas probas, e geralmente apreciam orgulhosamente seu rigoroso estilo de vida. Elas necessitariam do remédio se, como é freqüente o caso, seus elevados critérios se tornassem tão rígidos e inflexíveis que as fizessem negar a elas próprias até mesmo os mais simples prazeres da vida. Isso pode levar a muita tensão, à auto-reprovação e à infelicidade, e o remédio extraído de *Rock Water* as ajuda a serem menos duras e mais indulgentes consigo próprias.

SCLERANTHUS

Essa pequena planta ajuda as pessoas que sofrem de angústia por causa de sua indecisão. Essas pessoas têm dificuldade para escolher entre duas coisas; para elas isso é um problema nas situações cotidianas, bem como nas situações nas quais estão envolvidas decisões mais importantes a serem tomadas. O dilema surge sempre que uma escolha tem de ser feita. Quando saem para fazer compras, essas pessoas poderiam ver duas blusas de que gostassem e despender muito tempo a observar uma e depois a outra, tentando se decidir qual seria a de sua preferência. Até mesmo quando, por fim, é feita a escolha, ainda resta uma dúvida. Elas podem hesitar diante da caixa registradora, afastando-se e repondo a blusa nos cabides, só para voltar cinco minutos depois decididas a comprá-la apesar de tudo. Esse estado mental faz com que essas pessoas tenham traumas mentais. Entretanto, elas não discutem suas dificuldades com os outros, assim como o faria a pessoa de *Cerato*. Essas pessoas lutam sozinhas com a sua incerteza, e esta pode se tornar cansativa e criar muita inquietação mental. O remédio extraído de *Scleranthus* ajuda essas pessoas a concentrar seus pensamentos de modo que possam ver mais claramente suas opções e aprender a conhecer a própria mente.

Outras indicações para esse remédio incluem a instabilidade do humor, a oscilação entre a felicidade e o pranto, entre a amabilidade e a revolta, e assim por diante – sempre que ocorre uma súbita mudança na disposição de ânimo. Esse remédio é útil sempre que exista um desequilíbrio dessa natureza, não sabendo a mente que direção tomar. Pode ser útil também para minorar a náusea que se sente quando em movimento ou durante uma viagem, quando a instabilidade do veículo causa mal-estar.

STAR OF BETHLEHEM

Este é o remédio do Dr. Bach para os choques emocionais, e é indicado toda vez que tenha havido um trauma no sistema, por exemplo, por causa de um acidente, por causa de notícias perturbadoras ou da visão de algo aterrador. No período que sucede à perda de alguém, ele ajuda a pessoa enlutada a enfrentar seu pesar e a aliviar a dor e a tristeza. Às vezes o choque causado pela perda de uma pessoa querida não pode ser expresso; às vezes a pessoa anseia por chorar, mas as lágrimas não vêm. *Star of Bethlehem* ajuda a superar essa situação e alivia a mente de sua tristeza.

O choque emocional pode tardar a vir, e às vezes pode se manifestar depois, de vários modos, ou mesmo muitos anos depois do acontecimento. Porém, mesmo quando se busca o tratamento para alguma outra dificuldade, mesmo quando o choque foi suportado e pode ser identificado como a causa do problema, a *Star of Bethlehem* deve ser incluída. Contudo, se o choque emocional puder ser tratado sem demora, o impacto do trauma será minorado e, por essa razão, este é um dos cinco remédios que o Dr. Bach incluía no Remédio para Todas as Situações.

SWEET CHESTNUT

Esse remédio é adequado para um estado de desesperada angústia mental; para um sentimento de desespero absoluto, como se não houvesse nenhuma luz no final do túnel. Os que padecem desse mal sentem que nada lhes resta da vida e são tão tristes que chegam a sofrer fisicamente, tão desoladas e inconsoláveis se sentem. Eles se sentem tão miseráveis que às vezes podem desejar morrer, porém não consideram seriamente o suicídio por acreditarem que nem mesmo a morte pode libertá-las da dor. Essas pessoas não podem ver um caminho além da sua escuridão interior, e a vida não lhes reserva nenhuma alegria. O remédio extraído de *Sweet Chestnut* ajuda a erguer essa cortina do desespero de modo que a fé seja restaurada. O horizonte torna-se mais radiante e a esperança volta à sua vida; o termo do tormento, por fim, está próximo.

VERVAIN

Os que são dessa natureza têm fortes princípios éticos, e quando em face de uma situação contrária aos seus ideais, sentem que devem externar seu ponto de vista. Ao fazer isso, tentam persuadir os outros e a convertê-los ao seu modo de pensar. Como os tipos característicos de *Rock Water*, essas pessoas também são perfeccionistas, porém estão mais preocupadas com o bem-estar e com o desenvolvimento dos outros, comumente dos pobres-diabos ou dos desfavorecidos, do que com os interesses pessoais do modo como são as pessoas de *Rock Water*. As pessoas características de *Vervain* tendem a lamentar muito problemas tais como os do meio ambiente, da política, da religião, da fome no mundo, da habitação e da pobreza, com sentimentos freqüentes vezes fortes o bastante para dar início à formação de grupos de oposição, e muitas vezes escreverão ao seu deputado ou vereador, comparecerão a encontros e assim por diante. Essa é, no entanto, a sua libertação, e se são incapazes de achar uma válvula de escape para a veemência que lhes é própria, tornam-se frustradas e tensas. O tipo *Vervain* tende a ser laborioso, e sempre está em atividade; tende a se envolver com vários empregos de uma só vez, e sua mente está sempre voltada para o que tem de ser feito a seguir. Apreciam desafios, e são entusiastas quanto aos seus objetivos; porém, devido à sua natureza, podem exercer tanta pressão sobre si mesmos que são incapazes de relaxar, e se sentem num estado de tensão como se estivessem vivendo além dos seus limites. O remédio extraído da *Vervain* ajuda-os a tomar fôlego, de modo que *possam* relaxar e dar a si mesmos uma oportunidade para descansar.

VINE

Vine é o remédio para os que têm confiança em si próprios, para os que dominam, os líderes, os governantes. Eles conhecem muito bem o próprio temperamento, tomando decisões e assumindo responsabilidades por si mesmos e pelos outros, sem hesitar. O tipo *Vine* é ambicioso e determinado, enfrentando os problemas da vida com segurança e convicção. Em uma equipe, desempenham papéis de liderança, dirigindo os outros com incontestável franqueza. Dirá ele "ISSO é o que você fará", em vez de "Você gostaria de fazê-lo desse modo?" ou "Devemos fazer isso?". Como o tipo *Vervain*, o tipo *Vine* tem opiniões firmes, porém, enquanto o tipo *Vervain* tentaria convencer os outros de que está certo, por meio de explicações ou de discussão, o tipo *Vine* não argumenta acerca do assunto. Diria o que pensa e não arredaria pé. A natureza do tipo *Vine* pode ser exigente ao extremo e poderosa, e os que ocupam posições subservientes podem tornar-se emocionalmente frustrados se não tiverem um caráter bastante forte para enfrentar (o que pode ser) uma personalidade tirânica do tipo *Vine*. O tipo *Centaury*, gentil e prestativo, freqüentes vezes é uma vítima!

As crianças que têm a natureza do *Vine* são carentes, agressivas, tomam conta dos colegas e nos casos extremos podem se tornar valentonas para aqueles que têm uma natureza mais frágil e mais delicada.

O remédio extraído do *Vine* não elimina essa autoconfiança ou essa liderança, pois na verdade essas qualidades são boas e positivas, porém quando o lado extremado da natureza leva certa vantagem, o remédio ajudará essas pessoas a serem menos duras e austeras, e mais compreensivas quanto aos pontos de vista dos outros e à situação difícil dos mais fracos.

WALNUT

Walnut é o remédio indicado para as ocasiões de mudança. Ajuda as pessoas que têm dificuldade para se estabelecer num novo ambiente, num novo emprego, numa nova rotina, num país diferente ou num novo lar. Ajuda a quebrar os vínculos com o passado, de modo que a vida possa começar renovada, livre de antigos laços e lembranças. Ele é útil durante qualquer mudança que ocorra na vida, casamentos, divórcios ou mudança de residência até nas datas mais importantes do crescimento, como durante a dentição, a puberdade e a menopausa, e pode contribuir para superar os problemas relacionados como parto e com as mudanças que ocorrem durante o ciclo menstrual.

Esse remédio também nos ajuda a não nos afastar da senda escolhida na vida, protegendo-nos das idéias e das influências alheias que nos podem desviar do caminho, e das influências ambientais perturbadoras que tumultuam a nossa paz, escarnecem de nossos pensamentos e que podem fazer-nos perder de vista nosso verdadeiro objetivo. Os que necessitam do remédio extraído do *Walnut* são, em geral, pessoas sensíveis que se perturbam facilmente por semelhantes influências disruptivas. O remédio ajuda a nos orientar através desses acontecimentos, de modo que não percamos o nosso caminho.

WATER VIOLET

Como com o tipo *Oak* e o tipo *Vine*, a natureza característica de *Water Violet* é muito positiva. As pessoas desse tipo, como a própria planta, mantêm-se orgulhosas e eretas. Preferem as coisas mais serenas da vida e, por essa razão, tendem a ser reservadas. Andam de um lado para outro silenciosamente, não são desgraciosas nem extravagantes, mas serenas e confiantes em si. Não são pessoas gregárias, e escolhem o próprio grupo, ou o de alguns amigos escolhidos a dedo, mais harmonioso do que grandes concentrações sociais. Seu ponto de vista é o de alguém superior, e gostam de fugir da companhia dos outros. Se requestadas, dispõem-se a dar conselhos, mas não tentam interferir nem influenciar, e, de modo semelhante, não discutirão acerca da própria saúde ou das preocupações com os outros. Sofrem, pois, suportando sua dor em silêncio, e devido ao fato de manterem um fino véu entre si e os que estão à volta, tendem a se afastar das outras pessoas. Esse fino véu pode transformar-se numa sólida barreira, difícil de penetrar. O tipo *Water Violet* começa então a achar que infunde medo nas outras pessoas, que estas a julgam distante e inacessível, arrogante ou que tem ares de superioridade, e isso pode ser causa de seu isolamento. O remédio ajuda a pôr abaixo essa barreira e, assim, permite que essas pessoas dêem boa acolhida aos outros, com benevolência, sem, no entanto, abdicar de seu orgulho que perde seu ar de insolência.

WHITE CHESTNUT

Esse remédio é indicado sempre que a mente é atormentada por pensamentos aborrecidos, repetidos ou indesejáveis. O Dr. Bach chamava esse remédio de "o remédio do disco do gramofone" porque esses pensamentos tenazes, esses argumentos ou conversas mentais dão voltas e mais voltas na mente como um disco de rotação lenta, e são tão difíceis de parar que deixam esgotada a pessoa que deles padece, incapacitando-a para qualquer tipo de concentração. O remédio extraído de *White Chestnut* ajuda a liberar esse remoinho mental e a restaurar a paz na mente.

WILD OAT

Esse remédio destina-se a quantos sentem que chegaram a uma encruzilhada da vida e que não sabem que caminho seguir. Querem fazer algo de satisfatório, mas não estão certos quanto a direção em que deveriam canalizar suas energias. Podem ter tentado seguir diversas carreiras, ou uma variedade de estilos de vida, porém ainda não se dão por satisfeitos. São as "almas perdidas" que sentem não ter achado ainda o seu lugar adequado na vida, e que estão repletas de descontentamento. Esse remédio ajuda essas pessoas a ver o caminho à frente com mais clareza, de modo a poderem seguir sua verdadeira vocação.

O tipo *Wild Oat* difere do tipo *Scleranthus* porque este último sempre acha difícil tomar decisões e debate até mesmo as questões mais triviais. O tipo *Wild Oat*, contudo, se enche de incerteza no momento em que chega a uma "encruzilhada", mas, por outro lado, é decidido, determinado e claro no seu modo de pensar.

WILD ROSE

Diferentemente do tipo *Wild Oat*, o tipo *Wild Rose* não tem entusiasmo nem ambição para mudar coisa alguma na vida, e, portanto, fica à deriva, sem se esforçar nem se motivar. Tende a se tornar apático e resignado diante de tudo o que acontece, aceitando pacificamente o que quer que lhe esteja reservado. Se a desgraça ocorrer, ele dirá "Bem, são coisas da vida". Os tipos *Wild Rose* são "felizes à sua maneira", não gostam de mudanças e podem, assim, deixar passar muitas oportunidades, pois estas requerem muito esforço. São pessoas passivas que facilmente renunciam à batalha da vida. Se ficarem doentes, render-se-ão à doença, e se esta causar algum tipo de incapacidade física, elas humildemente limitar-se-ão a "ter de viver com ela". O estado característico de *Wild Rose* pode ser de insensibilidade emocional, de sentimento nem triste nem feliz, nem de animação nem de depressão, e pode, pois, gerar carência de energia vital e da centelha da vida. O remédio extraído da *Wild Rose* ajuda essas pessoas a reativar o gosto pela vida, de modo que, conquanto continuem felizes, a navegar ao longo da maré da vida, o façam com uma consciência repleta de contentamento e não de desinteresse.

WILLOW

Esse remédio é para as pessoas cujos pensamentos se tornaram tão introspectivos que passam a dar ênfase ao próprio infortúnio. Elas se ressentem pelo fato de a vida as ter tratado tão mal, querendo adivinhar o que teriam feito para merecer semelhante injustiça. Essas pessoas se tornam envolvidas com a autocomiseração, com o mau humor, com as queixas ou com o enfado, e quando as coisas saem erradas, acham difícil considerar o lado bom, perdoar e esquecer. Quando assalta a adversidade, essas pessoas guardam-na no fundo de si próprias, onde ela acaba por apodrecer, dando origem a uma forte "índole agressiva ou provocadora", e gerando a atitude do "pobre de mim! ninguém me quer!". Sentem-se tratadas injusta e cruelmente, e culpam os outros pela sua infelicidade. Essas pessoas se sentem desgostosas consigo próprias, e acham difícil se animar porque "não há nada com que se animar", e só podem ver as coisas de um ângulo negativo. Elas esquecem que há um lado positivo em qualquer situação. O remédio extraído do *Willow* portanto ajuda a tirar a pessoa que sofre desse poço de auto-humilhação, de modo que ela possa adotar um modo mais otimista e positivo de lidar com a vida.

O Remédio para todas as Situações

Há um outro remédio que freqüentemente é necessário. Ele contém cinco dos trinta e oito remédios, e é chamado *Rescue Remedy* [Remédio para Todas as Situações]. Como o nome sugere, ele é o remédio paras todas as situações que exigem que se tomem providências sendo, pois, indicado sempre que ocorre uma situação de necessidade urgente, na qual há pânico, choque emocional, entorpecimento mental, etc. Obviamente, essa providência não substitui o cuidado médico; porém, como ajuda a aliviar a angústia mental, permite que imediatamente se iniciem os processos de cura do próprio corpo. O Remédio para Todas as Situações é muito confortador em outras situações traumáticas, tais como viajar de avião, consultar o dentista, fazer uma prova escrita ou antes de uma entrevista importante.

O Remédio para Todas as Situações pode ser tomado oralmente e pode ser aplicado externamente se necessário (para dores agudas, distensões, contusões, etc.) e está disponível tanto em forma líquida como cremosa. (Ver Cap. 4, página 86.)

Os animais também se podem beneficiar com os remédios e, em particular, com o Remédio para Todas as Situações, porque quase sempre há um componente de choque emocional ou de terror associado ao mal-estar do animal ou por este responsável. As plantas também reagem muito bem, e muitas revivesceram depois de algumas gotas do Remédio para Todas as Situações (ver página 75).

Os cinco remédios que são combinados para formar o Remédio para Todas as Situações são:

STAR OF BETHLEHEM – para o choque emocional;
ROCK ROSE – para medo intenso ou pânico;
IMPATIENS – para a tensão mental ou física, quando a pessoa que sofre não consegue relaxar; a mente inquieta e irritadiça;

CHERRY PLUM – para a perda do controle emocional, quando a pessoa esbraveja, grita ou fica histérica;

CLEMATIS – o remédio para o sentimento indefinido, de confusão mental, que freqüentemente antecede um desmaio.

Esses cinco remédios foram especificamente escolhidos pelo Dr. Bach como um composto para as situações de emergência justo porque, combinados, eles compõem um remédio apropriado para todo tipo de crise. Ele usou esse remédio pela primeira vez no começo dos anos 30, quando o ministrou a um pescador que acabara de sobreviver a um naufrágio. O jovem pescador estava inconsciente e tinha no rosto uma cor arroxeada. Quando foi carregado até a praia, o Dr. Bach umedeceu com o remédio os lábios dele, fazendo o mesmo atrás das orelhas e nos punhos. Logo o pescador recobrou a consciência e, como se despertasse de um sonho perturbador, levantou-se e pediu um cigarro.

Capítulo 3

A PRESCRIÇÃO DOS REMÉDIOS

Como Entender o Sistema de Bach

Do começo ao fim da bibliografia acerca dos Remédios de Bach insiste-se no fato de que o tratamento se baseia na personalidade, e, assim, qualquer que seja o problema, os remédios deverão ser prescritos de acordo com a perspectiva emocional, a disposição de ânimo, o temperamento e a personalidade da pessoa envolvida.

O Dr. Bach tinha plena convicção de que a má saúde física era conseqüência de um desequilíbrio dentro de nossas mentes, e de que era, pois, da maior importância *tratar* a mente para conseguir a cura do corpo. Na verdade, muitos exemplos há em que essa filosofia é demonstrada e aceita no campo da medicina em geral. A tensão, a ansiedade, o aborrecimento e assim por diante –, todos têm o potencial para criar uma variedade de problemas físicos, que se manifestam de modos diferentes. Todos experimentamos os sentimentos de "vazio e náusea" quando nervosos ou agitados, ou tomamos consciência de uma secura na boca, do tremor de nossas mãos úmidas ou de um palpitar no peito, quando com medo ou apreensivos. Todas essas são sensações físicas, que não têm nada de imaginário mas que são muito reais; no entanto, todas ocorrem como conseqüência de algum distúrbio emocional. Contudo, essas reações em geral duram relativamente pouco, e comumente ocorrem antes de uma determinada situação, tal como uma prova escrita ou um exame para se obter a carteira de motorista, o encontro com alguém pela primeira vez, o falar em público, a ida ao hospital ou a consulta a um dentista. Se esses momentos podem causar semelhante impacto sobre o nosso físico, então segue-se que uma batalha emocional prolongada causará um impacto ainda maior. Nosso corpo só estará apto a enfrentar uma certa quantidade de esforço violento antes de começar a dar sinais de insatisfação e de, por fim, principiar a esmorecer. Todos nós temos os nossos "pontos fracos" e podemos, portanto, sofrer de modos diferentes. Para alguns, a tensão e o esforço excessivo podem resultar em enxaqueca; para outros, em asma; para outros ainda, em problemas digestivos ou em perturbações da pele; e, embora a pessoa sempre possa ter sentido essa fraqueza, o medo, o aborrecimento ou a ansiedade freqüentes vezes iniciam um acesso, ou causam uma sensível piora da condição. Na verdade, trata-se do mecanismo de defesa integrado ao corpo, e ele atua como um sinal de alerta a nos dizer que exercemos uma pressão demasiado forte sobre nós mesmos, que deveríamos reservar algum tempo para nos recuperar e repousar. Todavia, as pressões da vida são tais que nem sempre é possível tirar uma folga quando se precisa ou deixar de trabalhar quando se deseja. Os outros podem depender de nós e, desse modo, continuamos a ir em frente. . . Por fim, alguma coisa tem de ceder e, justo como o motor de um carro, a "válvula de escape" do corpo ou dá vazão ou precisa ser substituída. Se a constituição física é forte, pode ocorrer um colapso emocional. Mas, qualquer que seja o efeito, é a causa que importa.

Entretanto, há certas condições de saúde que não apresentam uma causa emocional definida. Tomemos como exemplo a asma e a enxaqueca. Analisamos o modo como estas podem ser causadas ou agravadas pelo abalo emocional, porém vez por outra o caso é que acredita-se que a asma, a enxaqueca e outros estados sejam o resultado de uma reação alérgica a um tipo particular de alimentação ou a uma substância irritante espalhada no ambiente. A enxaqueca, por exemplo, em geral é associada à ingestão de queijo ou de chocolate; a asma ao pó que se acumula em casa ou ao pêlo do gato. A febre do feno é outro exemplo e, como sabemos, é agravada pelo pólen ou por certos tipos de grama. Todavia, nem *todos* os que são expostos ao pólen sofrem da febre do feno; de modo semelhante, muitas pessoas convivem com animais sem que isso lhes cause nenhum efeito adverso. Portanto, temos de perguntar *por que* algumas pessoas são particularmente sensíveis e sofrem esse tipo de reação. Para abordar a contento esse problema temos de considerar a pessoa como um todo, levando em conta sua personalidade, seu estilo de vida e as influências emocionais a que está sujeita. Só então a VERDADEIRA causa do problema pode ser abordada e pode-se cuidar da cura.

Contudo, é óbvio, há algumas condições que são de origem puramente orgânica, e, posto que os Remédios de Bach tenham um papel importante a desempenhar no restabelecimento do bem-estar total da pessoa, pode ser essencial uma abordagem ortodoxa mais convencional. Um apêndice supurado, por exemplo, requer cuidado médico imediato, como requeriria uma grave obstrução intestinal ou um membro fraturado. De modo semelhante, se ingerirmos uma substância venenosa, ela nos deixará muito doentes — apesar de tudo, somos humanos! Os remédios, portanto, não podem substituir o tratamento médico vital quando ele é necessário, e ele sempre deve ser buscado quando há alguma dúvida ou algum motivo de preocupação acerca de sua saúde física.

Contudo, seja qual for o problema, não há dúvida de que o aborrecimento, o medo, a depressão, a autocomiseração e outras emoções negativas, que tão freqüentemente acompanham a má saúde, impedem nossa recuperação e retardam a convalescença. Porém, devido ao fato de os remédios tratarem desses sentimentos negativos, nossa força interior pode ser renovada com a ajuda deles, e isso ajudará nossa recuperação e o retorno à saúde.

Aprendendo a Prescrever os Remédios

No começo, você precisará aprender a descrição dos remédios de modo a poder conhecê-los inteiramente. Faça uma pesquisa dos livros disponíveis (ver página 91) para que estes o ajudem e favoreçam o seu entendimento, sempre se reportando aos *Doze Remédios & Outros Remédios* do Dr. Bach em caso de alguma dúvida. Uma vez CONHECIDOS os remédios, você saberá de que informação necessita para fazer sua seleção. Um conhecimento claro dos remédios e um entendimento da natureza humana são, pois, tudo o que se requer para ajudar você a tratar de si mesmo com esse sistema de cura, e para oferecer ajuda àqueles por quem você zela e que também podem estar passando por algum momento de aflição.

Você deve ter observado que alguns remédios descrevem as características e a personalidade de muitas pessoas – por exemplo, *Chicory, Agrimony, Vervain, Vine, Water Violet, Rock Water* e *Oak*. Chamamos esses remédios de "protótipos" porque dão as características de determinados *tipos* de pessoas.

Outros remédios, tais como *White Chestnut, Gentian, Aspen* e *Star of Bethlehem* descrevem estados mentais ou disposições de ânimo que podem ser comuns a qualquer pessoa, seja qual for o tipo de personalidade que ela tenha. Esses são conhecidos como os "remédios auxiliares" ou "remédios dos estados de espírito".

Uma das reações mais comuns quando se depara pela primeira vez com a lista de 38 remédios é declarar "Preciso de todos eles"! Esta é, contudo, uma reação inteiramente natural e de nenhum modo rara, porque a maioria dos estados relacionados com os remédios, principalmente com os remédios para os estados de ânimo, comumente é experimentada por todos nós em alguma época de nossas vidas. São eles as vicissitudes da vida cotidiana e são, portanto, emoções humanas naturais. A maioria de nós é, numa época ou noutra, atormentada por algo que nos faz sentir um pouco irascíveis, desanimados, revoltados ou assustados, e comumente podemos mudar "repentinamente para melhor", e pensar de modo suficientemente positivo para restabelecer o equilíbrio. De quando em vez, contudo, o estado de espírito parece tomar conta, e somos incapazes de nos livrar dele. A pouco e pouco ele nos traga, e não nos sentimos mais felizes nem capazes de lutar – parece que já não somos nós mesmos. Os remédios apropriados, tomados no momento exato quando o equilíbrio começa a vacilar, ajudará o estado de espírito a se reerguer e, assim, restaurar a harmonia interior.

Entretanto, é freqüente o caso em que se dá um efeito que aumenta como uma bola de neve: as raízes da infelicidade começam a se firmar e, a seu tempo, o que poderia ter começado como um simples "mau humor" se desenvolve num estado de angústia insuportável. Ele então é necessário para tratar não só da angústia, mas também para olhar o que está por trás dela, no intuito de descobrir o modo como essa pessoa tem reagido aos dissabores da vida. Desse modo, a perspectiva emocional pode ser situada no contexto para traçar um retrato completo da pessoa como um todo. Cada pessoa reagirá a situações diferentes numa variedade de modos; porém, as que têm personalidade e caráter semelhantes reagirão de modo semelhante. É, portanto, a *reação* ao acontecimento o que fornece uma chave para o tipo de personalidade e, assim, um guia para o "remédio apropriado para determinado tipo de pessoa".

Como Reconhecer os Tipos de Remédios

Durante o curso da sua vida, você terá deparado com uma diversidade de pessoas, todas elas com qualidades diferentes que as tornam únicas. Todas e cada uma são igualmente vitais e importantes, como os pequenos dentes de uma engrenagem nos gigantescos mecanismos da vida; na verdade, este mundo seria muito aborrecido se todos fôssemos iguais! As idiossincrasias e as características de uma determinada pessoa são o que fornece a impressão total da natureza dela, e cada combinação individual é descrita por um dos remédios. Lendo o Capítulo 2, algumas das descrições devem ter-lhe trazido à lembrança pessoas que você conhece, ou feito você sorrir como se nelas reconhecesse a si próprio; todos conhecemos pessoas extrovertidas e introvertidas, pessoas que estão cheias de entusiasmo e pessoas apáticas. Portanto, imediatamente conhecemos, ao observar a personalidade fundamental, qual o grupo de remédios que deve ser considerado. O não ter papas na língua, por exemplo, haveria de sugerir remédios tais como *Vervain, Impatiens, Vine, Chicory, Oak*, ao passo que a reserva, a moderação sugeririam remédios "mais tranqüilos", tais como *Mimulus, Centaury, Larch* ou *Water Violet*. Pessoas há que são muito expansivas e comunicativas – poderiam elas ser do tipo *Agrimony* se fossem alegres e dessem a impressão de não se importar com coisa alguma no mundo, ou do tipo *Heather*, se sua loquacidade fosse do tipo auto-indulgente. Tão logo encontramos uma pessoa, somos capazes de começar a traçar um retrato de sua constituição física ou mental por via da impressão que ela nos causa. Por exemplo, muito se pode aprender acerca da natureza da pessoa por meio do modo como ela se expressa, do tom de sua voz, daquilo acerca do que escolhe para conversar, do fato de ser ou não uma pessoa nervosa, teimosa ou sonhadora. A linguagem do corpo também pode revelar muita coisa. Por exemplo, os tipos *Impatiens* tendem a conversar rapidamente, podem ser irrequietos e parecer atabalhoados, a olhar talvez o relógio com insistência ou a interromper você com uma resposta antes de você ter terminado de formular a pergunta. Se você tiver uma discussão com alguém que começa a discorrer lentamente acerca de determinado tópico, os olhos bem abertos e a voz excitada como se enfaticamente fosse atrás do próprio raciocínio, você poderá então estar conversando com um tipo *Vervain*! Algumas pessoas são imediatamente reconhecíveis, e se constituem em exemplos clássicos de um tipo particular de remédio. Outros tipos de personalidade são mais sutis, e, vez por outra, você podia achar que existem pessoas que aparentam ser uma combinação de tipos. Contudo, com um perfeito entendimento dos remédios, você saberá que perguntas terá de fazer para obter a informação de que necessita para determinar a escolha correta.

Como um outro exemplo do modo como os diferentes tipos de pessoas reagem a uma dada situação, consideremos sete estudantes, todos prestes a fazer, juntos, uma prova escrita. Ann (do tipo *Rock Rose*) está completamente apavorada, perturbada com um nervosismo extremo, e literalmente trêmula. Catherine (do tipo *Agrimony*) sente o mesmo, porém finge que não. Todos os amigos dela se admiram da sua calma aparente e da sua atitude jovial. David (do tipo *Wild Rose*) não se importa em ser reprovado ou não. Ele não se preocupou em estudar e já se conformou com a reprovação. Andrew (do tipo *Impatiens*) está roendo as unhas, olhando o relógio, ansioso, batendo o pé, impaciente para começar o exame escrito. Rosemary (do tipo *Cerato*) está tão insegura e cheia de dúvidas quanto à sua interpretação do tema que busca reafirmar-se por meio dos outros, comparando o seu conhecimento com o dos demais. Jennifer (do tipo *Scleranthus*) desperdiça um tempo valioso tentando se decidir quanto ao assunto sobre o qual escreve e, desse modo, ainda estará fazendo sua redação quando o tempo se esgotar. Susan (do tipo *Clematis*), neste ínterim, fita o lado de fora da janela, sonhando acordada com as férias de verão, e não percebe que o exame escrito já começou.

Remédios combinados para situações tais como esta são, pois, impróprios e, conquanto certos remédios comuns muitas vezes possam ser tomados, toda pessoa é um indivíduo, e reage de modo diferente; desse modo, é impossível generalizar. Até na doença as pessoas são afetadas de modo diferente. Algumas ficam muito infelizes e se deixam abater pela doença. Outras batalharão como soldados de qualquer maneira, a despeito do seu mal-estar.

Muitas vezes é útil exercitar o conhecimento que você tem dos remédios "prescrevendo-os" para pessoas que vê na televisão. Os personagens de uma peça freqüentes vezes retratam características que ilustram a própria personalidade, ou expõem certos estados de espírito ou emoções que podem ajudar você a decidir sobre o remédio que mais lhe convém.

Ou você pode praticar fazer o diagnóstico com os remédios que classificamos de protótipos para pessoas muito conhecidas do público – políticos, personalidades da TV, desportistas e mulheres. Pense acerca dos membros da própria família e dos seus amigos, considerando suas várias características; ou, se alguém que você conhece passou por um período de dificuldades, avalie as conseqüências disso e relacione os sentimentos dessa pessoa com os remédios que você teria prescrito.

Utilizando o conhecimento das descrições relativas aos remédios, veja se é capaz de reconhecer no seguinte diálogo os protótipos que você prescreveria:

ALAN: Gostaria de dar um passeio, Alison?
ALISON: Hum. . . Não sei. Vou pensar.
ALAN: Bem, não pense o dia todo! E quanto a você, Peter?
PETER: Sim, eu vou, mas deixe-me primeiro terminar isto. . . Eu só tenho de telefonar para o Fred a respeito de nosso encontro amanhã – estamos numa campanha sobre os direitos dos habitantes da região. É tão injusto o modo como eles são tratados. Oh. . . a propósito, David deveria estar redigindo um questionário. . . Tenho de telefonar para ele também. . . Me dê cinco minutos e eu já vou com você. . .
ALAN: Já se decidiu, Alison?
ALISON: Não tenho certeza se vou ou não. Não consigo me decidir.
ALAN: Bem, se apresse e se decida, você está quase pronta para ir.
ALISON: Oh, vá você. Eu fico. Não, eu vou – vou com você. Deixe eu pegar o meu casaco. . .
ALAN: Certo. Está pronto, Peter?
PETER: Quase. Já lhe falei de Jeff? A injustiça que esse homem sofreu – que situação frustrante. . .

ALAN: Sim, sim, sim. Ainda não está pronta, Alison?
ALISON: Mudei de idéia. Apesar de tudo, não sei se vou com vocês.
ALAN: Vamos, Peter.
PETER: Deixe só eu dar um telefonema para David, antes que me esqueça. . .
ALAN: Ah! Já perdi tempo demais! De qualquer jeito, eu prefiro ir sozinho. Até logo pra vocês dois!

Alison evidentemente precisa de *Scleranthus* – ela é muito insegura e não consegue se decidir. Alan (o tipo *Impatiens*) é muito impaciente e não tem tempo para a hesitação de Alison. Peter está tão absorvido nas suas tentativas de consertar o mundo que, embora tivesse ido passear com Alan, não foi capaz de dispensar a ele toda a sua atenção. Seus princípios e o seu sincero entusiasmo indicam que ele é do tipo *Vervain*.

O Dr. Bach descreveu alguns dos remédios com uma história, cada personagem representando um remédio diferente e ilustrando o lado positivo da natureza, bem como a perspectiva negativa característica. Ele chamou-a de "A História dos Viajantes":

> *"Era uma vez – é sempre era uma vez – dezesseis viajantes que saíram para uma excursão através de uma floresta.*
>
> *A princípio, todos iam bem; porém, depois de ter caminhado durante algum tempo, um dos integrantes do grupo, de nome* Agrimony, *começou a se preocupar quanto a estarem eles no caminho certo ou não. Depois, já de tarde, tendo mergulhado ainda mais na escuridão,* Mimulus *começou a ter medo,*

medo de que tivessem perdido a trilha. Quando o sol se pôs e as sombras aumentaram, e os ruídos noturnos da floresta começavam a fazer-se ouvir, Rock Rose *ficou apavorado e em estado de pânico. No meio da noite, quando tudo eram trevas,* Gorse *perdeu toda esperança e disse 'Não seguirei além daqui; continuem vocês; ficarei aqui do modo como estou, até que a morte alivie os meus sofrimentos.'*

Oak, *por outro lado, embora sentindo que todos estavam perdidos e que nunca veriam novamente a luz do sol, disse, 'Continuarei lutando até o fim', e o fez, de modo corajoso.*

Scleranthus *tinha alguma esperança, mas as vezes sofria de incerteza e de indecisão, esperando primeiro seguir uma trilha e, quase ao mesmo tempo, outra.* Clematis *continuava a caminhar com dificuldade, quieta e pacientemente, mas – Oh! – bem pouco preocupado no que diz respeito a dar ou não ali o último suspiro ou a sair da floresta.* Gentian *algumas vezes animava bastante o grupo, porém outras vezes caía em estado de desânimo e depressão.*

Outros excursionistas nunca tinham medo, a não ser de que seus companheiros desistissem da excursão e, a seu modo, queriam muito ajudá-los.

Heather *tinha muita certeza de conhecer o caminho, e queria que todos os companheiros o seguissem.* Chicory *não se preocupava com o fim da excursão, porém demonstrava muita preocupação no que diz respeito a estarem ou não seus companheiros com dor nos pés, cansados ou com suprimentos suficientes para se alimentar.* Cerato *não tinha muita confiança em suas opiniões, e queria tentar todos os caminhos para se certificar de que o grupo não estava errado, e o pequeno e dócil* Centaury *queria tanto tornar mais leve o fardo dos outros que estava pronto para carregar os petrechos de todos. Infelizmente, para o pequeno* Centaury, *ele carregava o fardo dos mais aptos a fazê-lo, pois eles eram considerados os mais fortes.*

Rock Water, *todo ansioso para ajudar, desapontava um pouco o grupo porque criticava o que eles estavam fazendo de errado e, no entanto,* Rock Water *sabia o caminho.* Vervain *também devia conhecer suficientemente o caminho, mas, embora estivesse um pouco confuso, fazia um discurso detalhado sobre qual seria a única trilha que os levaria para fora da floresta.* Impatiens, *outrossim, conhecia bem o caminho de casa, tão bem que estava impaciente com os que eram menos rápidos do que ele.* Water Violet *percorrera anteriormente aquele caminho, e sabia a trilha certa; no entanto, era um pouco orgulhoso e arrogante, o que os outros não entendiam.* Water Violet *julgava-os um tanto inferiores.*

Ao cabo, todos foram até o fim da floresta.

Agora, eles atuam como guias para outros excursionistas que não fizeram a excursão antes e, devido ao fato de saberem que há um caminho que leva até o final, e devido ao fato de saberem que a escuridão da floresta não é outra coisa que as sombras da noite, eles andam como 'cavalheiros indômitos', e cada um dos dezesseis excursionistas ensina a seu próprio modo a lição, dando o exemplo.

Agrimony *dá largas passadas, sem nenhuma preocupação, e faz troça de tudo.* Mimulus *não sabe o que é medo;* Rock Rose, *nos momentos mais difíceis, é a própria imagem da calma, da coragem serena.* Gorse, *na noite mais negra, fala-lhes acerca das etapas que serão vencidas quando o sol surgir pela manhã.*

Oak *mantém-se imperturbável durante o mais forte vendaval;* Scleranthus *caminha com inabalável convicção; os olhos de* Clematis *estão postos com alegria no fim da viagem; nenhuma dificuldade, nenhum contratempo podem desanimar* Gentian.

Heather *aprendeu que cada viajante deve seguir o próprio caminho, e silenciosamente vai à frente, a passadas largas, para mostrar que isso pode ser feito.* Chicory, *sempre esperando ajudar, porém apenas quando solicitado, continua tranqüilo.* Cerato *conhece muito bem as pequenas trilhas que não levam a parte alguma, e* Centaury *sempre busca as pessoas que são mais fracas, que julgam pesado o fardo que carregam.*

Rock Water *não sabe mais incriminar ninguém; passa o tempo todo encorajando os demais.* Vervain *não prega mais coisa alguma, porém, silenciosamente, aponta o caminho.* Impatiens *não sabe mais o que é pressa, mas se atrasa entre os retardatários para manter o passo; e* Water Violet, *mais como um anjo do que como um homem, passa em meio ao grupo como um sopro de vento ou como um raio glorioso de sol, abençoando a todos."*

Edward Bach, 1934

Como Prescrever os Remédios para os Outros

"Entre os remédios, você encontrará os que podem ser utilizados em todas as situações com que se pode deparar. Remédios tais como os indicados para pessoas que sofrem de incerteza, que sofrem por nunca saber exatamente o que desejam ou o que para elas é certo. Alguns remédios para a solidão; remédios para as pessoas demasiado sensíveis. Remédios para a depressão, e assim por diante.

É, com muito pouco esforço, torna-se fácil achar o remédio ou os remédios de que os pacientes necessitam para serem ajudados."

Edward Bach, 1936

Como foi sugerido no capítulo anterior, tente relacionar o conhecimento que você tem dos remédios com as pessoas que conhece e com as experiências por que passou. Isso o ajudará a consolidar o que aprendeu, e lhe dará confiança quando tiver de fazer alguma prescrição.

O primeiro remédio que tem maior probabilidade de ser usado é o *Rescue Remedy* [Remédio para Todas as Situações], porque as situações urgentes são em geral as que requerem pronta atenção, e, como esse remédio é preparado especificamente com esse propósito, não há nenhuma necessidade de examinar as razões, as reações e os estados de espírito – isso fez o Dr. Bach para nós, ao elaborar a composição do *Rescue Remedy*.

Entretanto, esse remédio não é uma panacéia, e, desse modo, outros remédios devem ser considerados quando é visível uma perspectiva emocional mais específica. Por exemplo, quando você está muito desanimado depois de alguma notícia decepcionante, o remédio apropriado para dar-lhe ânimo e restaurar a fé é *Gentian*. O Remédio para Todas as Situações, nesse caso, não seria apropriado. Para estados de espírito depressivos como esse, não é difícil escolher o remédio necessário, e se um amigo ou um parente estivesse precisando de alguma ajuda para readquirir a felicidade ou a paz de espírito, não seria difícil achar o remédio certo. Quando um problema já criou raízes mais profundas, contudo, uma reflexão mais demorada é necessária, porque é nessas ocasiões que muitos dos estados relacionados com o remédio parecem estar implicados, sendo preciso então que se faça análise para ir descobrindo o problema que está por trás de tudo.

Em geral, logo se torna óbvio o momento em que a dificuldade teve início pela primeira vez. As pessoas amiúde dizem "Tenho sofrido dessa forma desde que me aposentei", ou "Fomos assaltados há algumas semanas e, desde então, tenho passado por momentos de pânico", ou "Quando nos mudamos de casa, fiquei incapaz de me acomodar, e agora perdi toda a minha segurança". Se você puder estabelecer uma causa definida para as dificuldades do momento, o remédio apropriado deverá ser incluído mesmo que o incidente tenha ocorrido há muitos anos, porque o efeito foi visivelmente retardado. Para que ocorra a verdadeira cura, esse efeito precisa ser tratado. Por exemplo, o choque emocional pode ser tão retardado que algumas semanas, meses ou até anos podiam passar antes que qualquer sinal se tornasse manifesto. Nesse ínterim, contudo, o choque emocional que está preso ou encerrado dentro da pessoa começa a se inflamar, e, posto que ocasionalmente se possa buscar ajuda para aliviar a manifestação subseqüente da depressão, da culpa ou do medo, a menos que o choque emocional original seja tratado e erradicado, não se pode conseguir a cura. Os remédios para ajudar a depressão, a culpa ou o medo (ou o que quer que seja) também serão necessários, justo como a atenção para com uma úlcera estomacal seria necessária para aliviar a dor e o sofrimento imediatos; porém não é suficiente tratar apenas do estado de espírito resultante, assim como não basta tratar apenas da úlcera. A causa é sempre o fator mais importante.

Todavia, nem sempre é evidente qual a verdadeira causa do problema. Para alguns, o presente estado mental tem suas raízes na infância, ou se desenvolveu por um período tão longo que se perdeu de vista a sua origem. Nesses casos, simplesmente trate do estado da mente ou do espírito que NO MOMENTO é visível. À medida que o tempo passa, e os remédios começam a fazer efeito, as emoções subjacentes começarão a aflorar até que, a seu tempo, a raiz do mal seja revelada, podendo, assim, ser tratada.

Consideremos um exemplo. Suponha que alguém venha até você à procura de ajuda, queixando-se de ansiedade. A "ansiedade" em si não é algo em que você possa basear a sua prescrição. Precisaremos, pois, indagar de que modo as pessoas são ansiosas, pelo que elas anseiam, e como a ansiedade as afeta, bem como determinar o que poderia ter causado essa ansiedade em primeiro lugar. As pessoas poderiam replicar que são ansiosas devido ao trabalho, aos filhos ou à saúde, e, no que concerne às suas respostas, delas dependerá a escolha do remédio ou dos remédios apropriados. Suponhamos que essas pessoas sejam ansiosas acerca de sua saúde. Isso imediatamente sugeriria que há medo de alguma doença e que, se for esse o caso, *Mimulus* é o remédio indicado (trata-se de um medo conhecido). Porém, durante o curso da conversa, pode se tornar patente que essa pessoa não é capaz de tolerar a idéia da doença porque esta faz com que se sinta impura ou contaminada. Uma investigação posterior pode revelar que essa pessoa tem idéias obsessivas acerca da limpeza no lar, sempre a se certificar de que as almofadas estejam no lugar certo, e de que os quadros não estejam, de modo nenhum, tortos. Esse estado mental e esse tipo de personalidade indicariam *Crab Apple*. Ambos os remédios seriam, então, necessários para corrigir esse desequilíbrio, ajudando, assim, essa pessoa a se livrar da ansiedade.

Vamos dar, agora, um passo adiante, e de novo nos ocupar do nosso paciente ansioso. Dessa vez, suponhamos que o estado mental dele criou algum tipo de sofrimento físico e que ele, nesse caso, procura ajuda para um eczema, queixando-se de que essa erupção da pele coincidiu com o aumento da ansiedade. É na ansiedade que estamos interessados, não no eczema – estamos tratando a pessoa, não a doença – e, desse modo, o mesmo processo para descobrir as razões da ansiedade e coisas dessa sorte é usado. Uma outra pessoa que sofresse de eczema podia necessitar de remédios completamente diferentes; assim, cada caso deve ser considerado de acordo com as próprias características; e cada pessoa tratada como um indivíduo.

Consultas

A consideração mais importante quando se dirige uma entrevista é estimular a pessoa que você está ajudando a falar. E, à medida que ela fala, tome nota dos remédios que lhe vêm à mente. A pergunta a ser formulada, pertinente e relevante para se esclarecer um aspecto ou se dirigir a conversa com vistas a um assunto importante para o tratamento é tudo o que deverá ser necessário.

Muito freqüentemente, é compreensível, as pessoas sentir-se-ão um tanto nervosas, principalmente quando não o conhecem; desse modo, é importante fazer com que se sintam à vontade. Depois de uma introdução inicial, você poderia perguntar se elas conhecem muita coisa acerca da obra do Dr. Bach. Se não, você pode explicar sucintamente os princípios da terapia para ajudá-las a entender o modo como ela funciona e, portanto, o que se deve esperar.

Se a pessoa de quem você está tratando tem dificuldade para exprimir sua perspectiva emocional em termos de seus problemas ou de sua doença, será necessário abordar a questão de modo mais sutil, indireto, talvez perguntando-lhe acerca da família, do trabalho, das férias, dos vizinhos, e assim por diante. Uma conversa desse tipo lhe dará a oportunidade de ir ao encalço dos assuntos que causam inquietação, e isso poderá levar à verdadeira essência do problema. Se as pessoas querem conversar acerca de suas doenças físicas, e imediatamente iniciam um longo relato sobre o que comem, permita que elas assim o façam. Isso pode ser útil do ponto de vista dessas pessoas porque lhes é dada uma oportunidade de explicar a sua dor ou o que as incomoda e, para o praticante, pode fornecer uma boa quantidade de informações úteis, porque você é capaz de estudar o modo pelo qual elas explicam as dificuldades que têm. Se necessário, você pode intercalar com uma questão tal como "isso lhe causa depressão?", o que, então, fará com que a conversa tome um cunho emocional. Ou pergunte sobre quando o problema teve início, e sobre o que pode ter sucedido na vida da pessoa por essa época. Isso também dará oportunidade para discutir o lado emocional do consulente.

Uma vez que você chegou a uma conclusão quanto à escolha dos remédios, você pode usá-los com as pessoas de quem está tratando. Ocasionalmente, podia ser mais apropriado preparar o medicamento sem discutir acerca dos seus conteúdos, porém, em geral, acho que é importante explicar que remédios estão sendo dados; assim a pessoa poderá compreender o PORQUÊ de ela os estar tomando. O reconhecimento do problema e o desejo de o corrigir é o primeiro passo em direção à cura interior, e se a seleção de essências não é conhecida, um aspecto importante do processo de cura se perde. Se, contudo, a pessoa pode voltar para casa satisfeita por ter partilhado seus problemas com alguém, levando um remédio que é do seu conhecimento e que lhe propicia alguma ajuda prática, haverá, então, esperança. Esta por si mesma levantará os ânimos e, então, o primeiro estágio da cura terá sido transposto.

Como Prescrever os Remédios para Si Próprio

Conquanto os remédios sejam simples e fáceis de compreender, muitas pessoas acham mais difícil tratar de si mesmas do que dos outros. Isso não é fato tão incomum porque pode ser difícil, principalmente quando os ânimos estão deprimidos, ser objetivo acerca de si próprio e pensar claro o bastante para reconhecer quais remédios são necessários. Talvez nos conheçamos demasiado bem (ou não o bastante!) e achemos que quase todos os estados relacionados com remédios parecem dar certo. É esse o motivo pelo qual muitas pessoas preferem buscar a ajuda de um amigo ou de um praticante que as guie. Entretanto, os remédios são elaborados primeiro que tudo como um meio de auto-ajuda; portanto, a autodiagnose não deverá constituir um problema.

Se você tem alguma dificuldade, sugiro que, primeiro que tudo, tome nota dos remédios de que julga ter necessidade, e, então, pergunte a si mesmo aquilo que perguntaria a outra pessoa se estivesse a ajudá-la. *Por que* você está com medo? *De que* modo você está ansioso? Com *o que* se preocupa? "Porque" é uma palavra importante devido ao fato de ser ela a resposta ao "por quê?" que o levará ao remédio ou aos remédios necessários. Por exemplo, é possível que sinta faltar-lhe autoconfiança (*Larch*), porém a razão *por que* isso se dá pode ser devida ao medo ou à falta de coragem (*Mimulus*). Ao passar dessa forma pela escolha dos remédios, e considerando as razões pelas quais escolheu cada um deles, você estará apto a eliminar de sua lista inicial os remédios desnecessários. Lembre-se: trate da causa e não do efeito! Muito freqüentemente, o "efeito" é manifestado por emoções superficiais que tendem a confundir o quadro verdadeiro. Essas emoções começarão a desaparecer gradualmente, uma vez iniciado o tratamento da sua causa.

Obviamente, é importante considerar a sua personalidade como um todo, de modo que a escolha do seu remédio se possa basear num retrato completo. Você saberá se é tímido ou expansivo; esforçado ou indolente; sociável ou reservado, e assim por diante. Pense acerca de si próprio – no modo como reage a uma crítica; como se sentiria se fosse enganado; como se sente durante festas, encontros ou em outras situações sociais; de que modo reage quando está dirigindo, e como lida com a doença ou com a dor. Suas ações, o seu sentimento, suas reações a essas situações, e o fato de você *demonstrar* ou não a maneira como se sente, são todos chaves importantes para ajudar você a determinar o seu tipo particular de remédio. Você deveria então levar em consideração o seu estado de espírito ou os seus abalos emocionais com relação à sua perspectiva geral e à sua personalidade, ou no contexto de ambas. Isso também ajudará você a descartar os remédios desnecessários ao formar uma imagem mais clara das suas dificuldades. Você tem, é claro, de ser totalmente honesto consigo próprio, tem de ser capaz de admitir quando se sente indignado ou ciumento, intolerante ou desconfiado. Algumas descrições há que podem parecer "melhores" do que outras; porém, todos os remédios descrevem emoções humanas naturais, comuns a todos nós, de modo que não se envergonhe dos seus sentimentos. O fato de você os ter reconhecido é o primeiro passo rumo à cura interior, e o remédio apropriado está lá, para ajudar você.

Você poderia achar útil tomar nota dos seus sentimentos como se estivesse escrevendo para um hipotético praticante. Vez por outra, isso ajuda a concentrar a sua mente na base do problema; em todo caso, a palavra escrita poderá então ser estudada com mais objetividade e os remédios escolhidos com propriedade. Muitas pessoas acreditam seja esse um exercício útil quando julgam que a expressão escrita flui com mais facilidade, e ela muitas vezes pode ser por si mesma um tipo de terapia, principalmente quando o problema é algo que foi reprimido durante certo tempo. Tomar nota torna-se então um alívio e amiúde age como uma plataforma a partir da qual você pode olhar para si mesmo e para a sua perspectiva emocional de modo mais detalhado.

Outro método de selecionar os remédios apropriados para si próprio é considerar qual virtude você sente que lhe está faltando, e, portanto, que qualidade você mais quer desenvolver ou aperfeiçoar. Por exemplo, você pode querer ser mais seguro no que respeita àquilo que você mais quer fazer na vida. Leve isso em consideração, e novamente pergunte a si próprio acerca do motivo pelo qual você se sente *in*seguro. *Wild Oat, Scleranthus* ou *Cerato* podem ser adequados; desse modo, estude cada um deles e selecione aquele que o descreve de uma forma mais completa. Ou você pode sentir que gostaria de ser mais tolerante com a infelicidade alheia (*Beech*) ou que gostaria de ser um melhor ouvinte (*Heather*), e assim por diante. Você pode já estar apto a perguntar a um amigo íntimo sobre o modo como ele o vê – aqui, também, certo grau de honestidade é necessário! Seus amigos acham que você é indeciso demais, demasiado impaciente, muito nervoso? Que você é "mandão" ou facilmente sugestionável? Para contrabalançar as características negativas, você também pode perguntar que qualidades positivas o seu amigo acha que você possui – é paciente, corajoso, faz amigos com facilidade? É um líder forte, ou é gentil, amável e disposto a obedecer? Como diria Nora Weeks, "peça uma opinião verdadeira sobre si mesmo e não faça caso do que lhe for dito!"

É bem verdade que o tratamento com os Remédios de Bach envolvem uma abordagem diferente daquela empregada em qualquer outro tipo de terapia. Em geral, a medicina ocupa-se dos sintomas e das doenças, e até mesmo a medicina verdadeiramente holista, tal como a homeopatia, leva em consideração igualmente os aspectos físicos. Os Remédios de Bach, contudo, concentram-se inteiramente na personalidade e nas emoções e, algumas vezes, as pessoas acham difícil conciliar essa abordagem com a própria enfermidade. Porém, como explicou o Dr. Bach em *Os Doze Remédios e Outros Remédios*,

> *"Devido ao fato de a mente ser a parte mais delicada e sensível do corpo, nela aparecem mais claramente a gênese e o curso da enfermidade do que no resto do corpo, e é por isso que se utiliza a observação da mente como guia para conhecer que remédio ou que grupo de remédios é necessário."*

Como Prescrever os Remédios para as Crianças

Algumas vezes as pessoas se perguntam sobre o modo como os remédios podem ser ministrados às crianças, principalmente às crianças pequenas e aos bebês, porque eles nem sempre podem exprimir seus sentimentos. Todavia, trata-se novamente da questão de se ocupar da pessoa e, assim, a natureza da criança deverá ser considerada como um todo. O estado de espírito da criança freqüentes vezes é visível, demonstrado por meio do seu comportamento. Leve em consideração o modo como age a criança ao brincar – torna-se ela irritada quando uma peça de um quebra-cabeça não se encaixa, ou quando os tijolinhos da casinha que ela monta não se equilibram? Põe ela, com um golpe, tudo abaixo, num ímpeto de raiva, ou perde o interesse muito depressa? A criança é paciente, carente ou sensível demais? É independente ou possessiva? Violenta ou submissa? Todos esses indicadores nos ajudam a encontrar os remédios corretos. Por exemplo, uma criança muito ativa, que sempre está fazendo algo e que nunca se aquieta, requereria *Impatiens*, e talvez *Vervain*. Uma criança gentil e atenciosa, e que sempre faz o que lhe dizem, e é facilmente controlada por outras crianças, requereria *Centaury*, e/ou *Mimulus* se muito acanhada, tímida ou medrosa. *Vine* ajudaria a criança mandona ou valentona, e que é muito exigente e violenta. Uma criança que dorme muito pode ser do tipo *Clematis*; mau humor indicaria *Willow* e *Chicory*, se constantemente exigisse a atenção.

Quando uma criança está doente, seu estado de espírito pode ser observado e os remédios escolhidos com propriedade. O modo como se comportam quando não estão bem muitas vezes é a chave para o seu temperamento e um dos melhores indicadores do seu tipo de remédio. Foi essa observação que levou o Dr. Bach à conclusão de que se deveria tratar da mente, das emoções e, portanto, da pessoa, e não apenas da doença.

Disse ele:

> *"Se Tommy apanha sarampo, ele poderia ficar irritadiço; Sissy pode ficar tranqüila e sonolenta; Johnny quer ser mimado, o pequeno Peter pode ser todo nervoso e medroso; Bobby quer que o deixem sozinho, e assim por diante. Se a doença tem efeitos tão diferentes, não seria apropriado tratar dela apenas. É melhor tratar de Tommy, de Sissy, de Johnny, de Peter e de Bobby, e fazer com que cada um deles fique melhor – e adeus ao sarampo!"*

No que tange aos bebês, aqui também é mister ter em conta o comportamento e o temperamento – um bebê contente, feliz e sorridente precisaria de *Agrimony* quando agitado. Os bebês que choram e que pedem carinho, sendo difícil colocá-los no berço à noite por não quererem ser deixados sozinhos, e que sempre exigem a atenção da mãe, necessitariam de *Chicory*. De *Impatiens*, se se tornam irritados e impacientes, e assim por diante.

O Remédio para Todas as Situações em geral contribui para a calma, e, portanto, é útil em muitas ocasiões, principalmente quando são visíveis o choque emocional, o pavor ou o extremo mau humor. Porém, busque os conselhos do seu médico se o problema persistir.

Durante a infância, uma grande quantidade de mudanças relativas ao crescimento e ao desenvolvimento ocorrem durante um curto período de tempo. *Walnut* é, portanto, um remédio útil durante várias fases importantes do desenvolvimento de uma criança — a dentição, o aprender a andar, a falar, a ir à escola, e a puberdade, por exemplo. Os acessos de raiva aos dois ou três anos freqüentes vezes são criados pela frustração — o desenvolvimento mental da criança é mais rápido que seu desenvolvimento físico.

O temperamento individual da criança e a sua personalidade sempre devem ser levados em consideração, mas, falando em termos do que é geral, para esses acessos, *Holly* é um remédio útil, em se tratando de ímpetos agressivos e de raiva; *Walnut* é apropriado para as mudanças durante o crescimento; *Beech* para a intolerância; *Impatiens* para a irritação e para a impaciência; e *Vervain* para a tensão e para a frustração.

Muitas outras situações há em que os remédios podem ser de valia. Ir à escola pela primeira vez, ou iniciar-se numa nova escola, freqüentes vezes pode ser uma experiência traumática. O *Rescue Remedy* é útil nessas circunstâncias, ao lado de *Walnut* para a adaptação, e junto com outros remédios que poderiam ser utilizados, a depender das necessidades específicas da criança, tais como *Larch*, em caso de haver certa falta de autoconfiança. Para os pesadelos, prescreve-se *Rock Rose* (ou o Remédio para Todas as Situações, por esse conter *Rock Rose*), e *Honeysuckle*, se os pesadelos se devem a lembranças inquietantes e obsessivas. Outro período difícil freqüentemente se dá quando da chegada de um novo irmão ou de uma irmã. Algumas crianças se adaptam muito bem, aceitando o bebê sem nenhum problema; porém outras tornam-se ciumentas ou se sentem ameaçadas e não amadas quando acham que a pequena trouxinha que está sempre nos braços da mãe lá está para ficar indefinidamente! *Holly* seria o remédio apropriado para se cuidar do ciúme; *Chicory*, se as pessoas se sentissem ignoradas, e *Willow* para os ressentimentos e para o mau humor.

A fase importante que vem a seguir é a adolescência, período em que ocorre uma grande quantidade de mudanças ligadas ao crescimento. Assim como com *Walnut*, que é apropriado para a adaptação, *Crab Apple* muitas vezes é útil porque freqüentemente há certo grau de dificuldade em torno do surgimento das mudanças. *Crab Apple* também pode ser utilizado externamente, se a criança tem problemas de manchas na pele (diluir duas gotas num pequeno recipiente com água e borrifar o local afetado, depois de o ter lavado). Esse período de desenvolvimento freqüentes vezes pode dar origem a muitos estados de espírito negativos, à medida que a criança se vai tornando adulta, e durante a sua busca de independência; suas necessidades e desejos, suas emoções podem tornar-se inteiramente tempestuosas! Os remédios apropriados para os estados mentais que se tornam visíveis ajudarão esses anos turbulentos a se tornar um pouco menos traumáticos.

À medida que crescemos acumulamos experiências, e essas experiências se fundem em nossa natureza fundamental para formar nossas atitudes adultas e o nosso caráter. À medida que envelhecemos, tornamo-nos mais conscientes de várias barreiras, e cada barreira que pomos abaixo ensina-nos algo acerca de nós mesmos. Essas provações e adversidades podem interferir em nossos processos de cura, ou bloqueá-los, e, desse modo, ao tomar os remédios para nos ajudar, algumas vezes damos com um obstáculo que se desenvolveu, fazendo com que o emprego dos remédios seja um pouco mais difícil. Com as crianças, contudo, não há nenhuma barreira, razão pela qual a recuperação delas é em geral muito mais rápida. Estou certa de que todos temos visto crianças a brincar, felizes, e a correr de cá para lá, as faces cheias de sinais de sarampo ou de catapora! As crianças, portanto, reagem muito bem aos remédios, e comumente não necessitam de muitas doses para voltar a ser "elas mesmas".

Como Prescrever os Remédios para os Animais e para as Plantas

Animais

Como com as crianças, os animais comumente reagem muitíssimo bem aos remédios. Repetindo: para se fazer a prescrição dos remédios, o temperamento do animal em questão precisa ser considerado junto com a sua disposição de ânimo particular e com a sua natureza em geral. Por exemplo, um cachorro pode viciosamente ladrar aos passantes, porém as razões para tanto podem variar muito. Alguns deles podem ladrar porque têm medo (*Mimulus* ou *Rock Rose*), outros porque suspeitam de alguma coisa (*Holly*) e porque são guardiães do seu dono; outros porque tomam conta do seu território, exibindo seu poder (*Vine*). Outros cães podem ladrar ou rosnar tão-somente por malícia. Neste caso, novamente, seria apropriado *Holly*. O cão pode, é claro, ser vítima do ataque de um outro cão e, desse modo, remédios tais como *Centaury* e *Mimulus* poderiam ser utilizados.

Quando um animal estiver doente, sua disposição de ânimo freqüentemente mudará. Olhos tristes que olham para você como a dizer "tenha piedade de mim, eu não estou bem", é coisa própria de um animal que necessita de *Willow*; sonolência e apatia requerem *Clematis* e *Wild Rose*; a irritabilidade requer *Impatiens*; ferocidade requererá *Holly* (e *Vine*, quando habitualmente feroz e dominador).

Todos os animais são, como os seres humanos, individuais, e, desse modo, todos precisam ser considerados como tal, mesmo que certas espécies ou raças compartilhem de tendências semelhantes. Por exemplo, os gatos freqüentes vezes são tipos *Water Violet* (orgulhosos e independentes), porém cada um teria um temperamento peculiar a si próprio.

Acrescentar o *Rescue Remedy* [Remédio para Todas as Situações] sempre é útil quando do tratamento de animais, porque, com muita freqüência, o choque emocional ou o pavor é uma causa preponderante dos problemas que eles têm. A dosagem corresponde à mesma que se dá para os seres humanos – quatro gotas do *Rescue Remedy*, duas gotas dos outros remédios. O remédio pode ser diluído num pouco de água ou numa garrafinha a ser usada no tratamento, de modo que possam ser administradas durante todo o dia, ou simplesmente ser acrescentadas à tigela em que o animal bebe, à comida ou a um biscoito. Para animais de porte maior, como os cavalos, é recomendado o uso de dez gotas, acrescentadas a uma tina de água, ou as quatro gotas usuais num cubo de açúcar. Tente dar as gotas tão freqüentemente quanto puder, mas, pelo menos, quatro vezes ao dia.

Como prescrever os remédios para as plantas

A saúde e o bem-estar da vida da planta em geral se limitam ao modo de conservação descrito pelos manuais de jardinagem, e a idéia de tratar medicinalmente de uma planta e, em particular, emocionalmente, pode parecer algo um tanto estranho – talvez até mesmo excêntrico. Porém as plantas, como todos os seres vivos, fazem parte da natureza e, desse modo, também elas possuem uma Força Vital superior que reage às energias de cura que a Natureza lhes concede.

Posto que as plantas comumente sejam os fornecedores de medicamentos para os males da humanidade, a Natureza funciona de dois modos; ela deve dar para poder receber; quem quer que tenha mantido plantas no jardim ou em casa terá notado algumas folhas tristes, caídas, ou uma planta a lutar contra a moléstia. Mais freqüentemente (a menos que você seja um jardineiro de muita sorte!) você terá passado pela experiência de ver plantas que não reagiram bem ao ser colocadas em outro vaso ou em outro local, e que parecem ter dificuldade para se adaptar à mudança do solo ou ao ambiente, ou que sofrem uma certa quantidade de abalo emocional, que enfraquece sua capacidade natural de sobreviver depois de serem transplantadas. Os Remédios de Bach podem ser, portanto, de grande benefício para as plantas, e têm havido muitos registros de tentativas bem sucedidas.

Prescrever os remédios para as plantas, contudo, pode parecer a princípio algo um pouco difícil, se não um tanto incomum. Apesar de tudo, não se lhes pode fazer perguntas, nem esperar que expressem seus sentimentos do modo como faríamos. Sem embargo, exibem elas a sua perspectiva na aparência que têm, e é nessa expressão da necessidade peculiar a elas que você deve basear a escolha dos remédios. Uma planta que parece muito abatida e triste, por exemplo, precisaria de *Willow*; uma outra, que tivesse desistido da vida e que aparentasse estar morrendo, poderia revivescer com *Gorse*, e com *Crab Apple*, caso haja indícios da doença. Para colocar a planta em outro vaso, transplantá-la ou podá-la, tente *Walnut* (para a adaptação) e *Star of Bethlehem* (para o choque emocional), bem como os remédios individuais que você sente que deve utilizar. As plantas que têm estado num lugar escuro e que têm lutado para alcançar a luz haveriam de requerer *Olive* para restabelecer seus recursos energéticos perdidos. E, é claro, é sempre recomendado o

Remédio para Todas as Situações, para aliviar o trauma, o abalo e o pavor.

Para dar remédio às plantas, acrescente apenas dez gotas a uma vasilha com água (não importa que as outras plantas também fiquem molhadas – os remédios só fazem bem!), ou as duas gotas usuais (quatro gotas do Remédio para Todas as Situações) a água reservada a uma só planta. Obviamente, é importante não regar DEMAIS porque, ao se fazer isso, complicações posteriores são criadas; porém, isso pode ser difícil de evitar quando a planta requer freqüentes doses de remédio. Entretanto, o problema pode ser controlado ao se administrar as gotas diariamente numa colher de sobremesa com água. Desse modo, a planta se beneficiará dos remédios regulares sem ficar encharcada. Além disso, as folhas podem ser borrifadas com os remédios diluídos, e isso pode ser útil principalmente quando as folhas parecem doentes ou murchas. Uma combinação do *Rescue Remedy* e *Crab Apple* seria ideal quando usada dessa forma.

Capítulo Quatro

PREPARAÇÃO E ADMINISTRAÇÃO DOS REMÉDIOS

Como são Feitos os Remédios

Os Remédios de Bach são preparados de modo muito simples – nenhuma técnica complicada é requerida, nem se requer muitos equipamentos. O método é explicado pormenorizadamente no *"The Bach Remedies, Ilustrations and Preparation"* de Nora Weeks e Victor Bullen, mas dele darei aqui uma breve descrição.

Existem dois métodos. O primeiro, por meio da ação do sol; o segundo através da fervura. O método do sol é, para o Dr. Bach, incomparável, e envolve a colocação dos capítulos em flor das plantas que interessam na superfície de uma pequena tigela de vidro cheia de água pura da fonte. A tigela é, então, deixada ao sol por três horas, período durante o qual a água fica impregnada com as propriedades curativas da planta. Os capítulos, tendo transferido à água a sua energia vital, são então jogados fora. A água que contém a força vital da planta é conservada em *brandy* (o conservante escolhido pelo Dr. Bach), e se torna conhecida como Tintura Mãe.

O Dr. Bach desenvolveu esse método durante o primeiro estágio da sua descoberta. De início, ele preparou seus remédios homeopaticamente, porém desejava desenvolver um método que pudesse ser facilmente compreendido por todos, de modo que as pessoas que quisessem tentar poderiam preparar por si próprias o remédio. Certa manhã, ele notou o orvalho que se havia formado nas pétalas da flor a brilhar aos primeiros raios da manhã, e perguntou a si mesmo se as vibrações de cura da flor se tinham prolongado na gota de orvalho por meio da calidez do sol. Quando concluiu que sim, começou, no dia seguinte, a recolher todo o orvalho, depositando-o dentro de frascos, e esse foi o modo como alguns de seus primeiros remédios foram preparados. Porém, ele logo compreendeu que recolher orvalho não era uma coisa muito prática e, é claro, consumia muito tempo! Finalmente, depois de muito pensar, decidiu-se ele a tentar criar a própria "gota de orvalho" de tamanho muito maior, enchendo uma fina vasilha de vidro com a água de uma fonte vizinha. Isso marcou o nascimento do único método do sol de preparação do Dr. Bach e o modo como vinte dos remédios florais têm sido preparados desde então.

Os outros dezoito foram preparados por meio de fervura, e os remédios preparados através desse método são, em sua maioria (embora não todos) provenientes de árvores. Vergônteas de pequeno comprimento, cobertas com a flor ou com o amentilho, são recolhidas e fervidas em água pura da fonte por meia hora e, então, deixadas para esfriar. Novamente, as vergônteas com suas folhas e flores são jogadas fora, depois de ter transferido à água suas propriedades de cura durante o processo de fervura. Esse método tem mais afinidades com a preparação homeopática, porém o Dr. Bach julgava ser esse o meio mais apropriado de extrair a vitalidade desses dezoito remédios em particular.

O estágio seguinte na preparação dos remédios é diluir a Tintura Mãe numa quantidade de *brandy* adicional. Esse líquido ficou então sendo conhecido como o "remédio conservado em estoque", e posto que ele seja uma diluição da tintura original, ele é, não obstante, considerado como sendo um remédio concentrado porque requer uma diluição posterior antes de ser usado.

O *Dr. Bach Centre*, de Mount Vernon, tem sido o núcleo desse trabalho desde que o Dr. Bach lá foi viver em 1934. Os remédios dele sempre foram feitos no *Centre*, de acordo com as instruções do Dr. Bach e com dedicado carinho por parte dos membros do conselho diretor e dos curadores da sua obra. O *Bach Centre* é uma pequena e humilde casa de campo situada no coração de uma vila pitoresca, na zona rural de Oxfordshire. A história do desenvolvimento da obra de Bach pode ser lida em *The Story of Mount Vernon* que descreve o modo como Nora Weeks e Victor Bullen resolutamente cumpriram a promessa de continuar com a obra do doutor, do modo como foi o seu expresso desejo. Quando o Dr. Bach se estabeleceu em Mount Vernon, ele já havia descoberto a metade da série dos 38 remédios, e foi durante esses dois anos e meio finais de sua vida que ele descobriu os dezenove restantes, todos eles crescendo em um pequeno raio de Mount Vernon. Para satisfação sua, ele descobriu seus primeiros dezenove remédios (à excessão de dois – *Olive* e *Vine*), crescendo também no local, e muitos desses lugares ainda hoje são usados na preparação dos Remédios de Bach.

Como Preparar um Tratamento

Todos os Remédios de Bach são acessíveis na forma de "remédios conservados em estoque". Isso significa que se constituem eles num remédio concentrado, conservado em *brandy* e que, portanto, podem ser mantidos indefinidamente. É a partir do remédio conservado em estoque que o medicamento e o tratamento são preparados.

Há um método de preparação de tratamento que é o preferido. Os Remédios de Bach são inofensivos; assim, não há perigo de *overdose*. Se uma quantidade demasiada de remédio é ingerida, não causará danos. De modo semelhante, se se toma o remédio errado ou impróprio, não causará nenhum efeito negativo. Tendo entendido como é preparada a Tintura Mãe, você compreenderá que nenhuma parte física da planta é ingerida, e como todas as plantas dos remédios do Dr. Bach não são venenosas, não contêm elas nenhuma substância capaz de produzir alguma reação contrária. Há, contudo, um aspecto que deveria ser mencionado aqui, qual seja, o conteúdo do *brandy*. Como você verá nos parágrafos seguintes, apenas uma quantidade muito pequena do remédio conservado em estoque é tomada como tratamento; porém, mesmo assim, algumas pessoas há que podem ser muito sensíveis até mesmo a essa quantidade diminuta, ou aquelas que não podem tomar álcool por motivos religiosos. É importante, contudo, ter isso em mente quando se trata dos outros com os remédios.

Basicamente, há dois métodos de preparar um tratamento. As gotas podem ser diluídas num copo de água, e bebericadas em intervalos, o que seria o método mais apropriado se você está tratando com situações de emergência ou com estados de espírito momentâneos; ou preparadas no frasco utilizado no tratamento, o que seria mais adequado se se trata de um problema a ser resolvido a longo prazo, depois de ter criado raízes.

Para se preparar o frasco utilizado no tratamento, você precisará de um vidro vazio de 30 ml com um conta-gotas.

Se um vidro com o tamanho de 30 ml não puder ser encontrado, um frasco um pouco menor será suficiente. A maioria dos farmacêuticos fazem estoque de frascos vazios que já são conta-gotas. Você também precisará de um pouco de água mineral ou de água da fonte (parada), que se pode encontrar em garrafas na maioria das lojas ou supermercados que trabalham com produtos de saúde. Certifique-se de que o frasco está limpo e isento de quaisquer agentes de contaminação e, então, tendo selecionado os remédios requeridos, acrescente ao frasco vazio simplesmente duas gotas de cada um. Encha o frasco de água da fonte/mineral e enrosque a tampinha do conta-gotas. Esse frasco representa o seu tratamento, e dele você toma quatro gotas pelo menos quatro vezes por dia. Essa é a exigência mínima; porém, se necessário, tal como acontece quando é crítico o estado de ânimo, as gotas podem ser tomadas com mais freqüência. A água mineral ou a água da fonte deverá ser escolhida quando da preparação de um frasco utilizado no tratamento, porque o preparado tem o potencial de durar uns dois ou três meses. A água engarrafada se conservará fresca por muito tempo e, portanto, terá a duração do tratamento. Infelizmente, a água da torneira se deteriorará e ficará velha muito rapidamente. Entretanto, se você não tiver nenhum acesso a água engarrafada, será perfeitamente adequado usar água da torneira, de preferência filtrada, mas acrescente uma colher de chá de *brandy* ou de outra essência para que a preparação ajude a preservar o componente da água. Um pouco de *brandy* também deveria ser acrescentado a um tratamento contendo até mesmo água engarrafada quando há a probabilidade de ela ser posta em estoque num lugar abafado ou de clima quente. Se você puder, tente estocar o seu remédio diluído no refrigerador.

Com a pipeta, pode-se pingar as gotas diretamente na língua, ou num pouco de água, se preferir. Elas podem ainda ser acrescentadas a uma chávena de chá ou a outro refresco, se for mais conveniente. Se puder, tente reter a dose na boca por um segundo ou dois antes de engolir, e tente visualizar a energia positiva que você está tomando, como um sopro de ar fresco.

Tente limitar a escolha dos remédios a cerca de seis. Isso não se deve ao fato de os remédios se contraporem uns aos outros nem de causarem algum efeito negativo, porém simplesmente porque remédios demais tomados conjuntamente tendem a obscurecer o problema e são incapazes de funcionar a contento. No entanto, cada um é um indivíduo, e é preciso variar de pessoa para pessoa. Vez por outra, apenas um ou dois remédios são necessários nos casos em que apenas aqueles escolhidos deveriam ser dados. Porém, em outras ocasiões, sete ou oito podem ser utilizados, e se todos eles forem requeridos, é melhor, então, tomá-los todos do que excluir um remédio essencial; fazer isso significaria que poderia faltar um elemento importante para a cura completa. Entretanto, à medida que o tempo avança, e a melhoria toma lugar, alguns remédios podem ser retirados do tratamento subseqüente uma vez cumprida sua função e quando não são mais requeridos. De modo semelhante, se outras crises de melancolia se tornam predominantes durante o curso do tratamento, o remédio apropriado deve ser acrescentado. Com freqüência este é o caso, porque à medida que tem início o processo de cura, uma certa purificação ocorre, e as emoções que podem ter estado dormentes por muito tempo, tendo sido reprimidas e, portanto, não realmente sentidas, começam a aflorar. Justo como a água de um lago lamacento pode parecer pura e clara, a fim de nos livrar do limo que se alojou no fundo, temos de agitar a água, e ela tornar-se-á turva por um breve momento, até que todos os detritos subam à superfície e sejam retirados com uma concha.

Algumas pessoas acham mais conveniente tomar as gotas do remédio de estoque num copo de água, e esse seria o método mais apropriado numa situação de emergência ou quando o estado de espírito é momentâneo e não representa o ápice das emoções. Em vez de preparar um frasco a ser usado no tratamento, simplesmente despeje duas gotas de cada remédio requerido num copo de água (não importa o tamanho). Esse deve ser bebericado em intervalos, até que os ânimos se levantem. O tratamento que exige um prazo mais longo pode ser conduzido também dessa forma, obviamente, e pode-se permitir que cada remédio fique no frasco por todo o dia, tomando um gole dele a cada duas horas. Esse método é um pouco menos econômico porque o frasco precisará ser enchido todo dia ou depois de algumas horas, ao passo que o frasco utilizado no tratamento poderia durar umas duas semanas ou, pelo menos, alguns dias. Entretanto, devido ao fato de nenhuma *overdose* ser possível, em se tratando dos Remédios de Bach, a escolha da preparação do tratamento é inteiramente de preferência pessoal.

Qualquer que seja o método de sua escolha, tome sua primeira dose ao acordar pela manhã, e a última dose à noite, antes de se recolher ao leito. Você também pode querer deixar o remédio ao pé da cama, se estiver propenso a despertar à noite.

Para os bebês, as gotas diluídas da dosagem podem ser acrescidas a um frasco de suco ou à comida, ou dado numa colher de chá. Se o bebê apenas está sendo amamentado, a mãe, ao tomar ela mesma os remédios, transmitirá os efeitos deles ao bebê por meio do leite. Porém, é claro, o leite leva algum tempo para se desenvolver; desse modo, se a necessidade é imediata, seria mais apropriado dar as gotas diluídas diretamente por meio de uma colher.

Como vimos anteriormente, o *Rescue Remedy* [Remédio para Todas as Situações] é um composto já preparado na forma de remédio conservado em estoque, e, por causa disso, a dosagem é de quatro gotas em vez de duas, assim como se dá com os outros remédios. O método da preparação do tratamento é o mesmo, e, se necessário, pode ser acrescentado a uma combinação do tratamento, mas devido ao fato de o *Rescue Remedy* ter sido planejado para situações de emergência, o método mais apropriado seria tomá-lo num vidro ou num copo de água, bebericado lentamente até que o alívio fosse obtido, ou até que se abrandassem o choque emocional e o pânico. Se, por alguma razão o líquido não é acessível – talvez enquanto se está fora a fazer compras ou a passear – então o remédio pode ser tomado puro, direto do frasco de estoque – quatro gotas, da mesma maneira. Contudo, não se esqueça de que os remédios conservados em estoque são conservados em *brandy*; desse modo, o gosto será bem forte! O Remédio para Todas as Situações também pode ser usado nas têmporas, nos punhos ou atrás das orelhas, se não puder ser tomado oralmente, e, ainda assim, o alívio será obtido.

O *Rescue Remedy*, e, se necessário, outros remédios apropriados, também podem ser úteis para traumas exteriores. Algumas gotas dele aplicadas na pele depois de uma pequena queimadura, de imediato aliviarão a dor. Alternativamente, uma diluição em água morna ou quente pode ser usada como loção para se banhar a área afetada. O creme do *Rescue Remedy* também é muito confortante, tem propriedades de cura, e pode ser usado externamente numa variedade de ocasiões, desde a ardência causada pelo contato com a urtiga até uma massagem comum.

Como Funcionam os Remédios

Tendo entendido o meio pelo qual são feitos os remédios, sabemos que nenhuma parte física da planta permanece, uma vez que a preparação está completa, e que, portanto, nenhuma parte física da plante é ingerida. Por isso, algumas vezes é um pouco difícil compreender exatamente o modo como os remédios verdadeiramente funcionam, e esta é uma pergunta que não raro tem sido feita.

Primeiro que tudo, é importante considerar a energia como uma força vital de que todas as coisas na Natureza fazem parte, e a que todos pertencemos. A propriedade de cura dentro de uma flor pode, portanto, ser considerada como sendo o escoadouro da Força Vital dessa planta; de fato, a alma ou o espírito da planta. E, por ser ela uma coisa intrínseca, justo como nosso espírito ou a nossa alma o são para nós, não pode ser manipulada, danificada ou destruída.

Na vida, todas as coisas têm um propósito, das formas mais elementares às mais complexas, cada uma tendo um papel a desempenhar nas engrenagens do grande maquinário da vida. As plantas contribuem de uma variedade de modos. Algumas fornecem alimento, outras atuam como um hospedeiro às formas de vida parasitas, outras nutrem o solo ou fornecem oxigênio. Outras têm o poder de curar. A maioria dos preparados herbáceos adquirem as propriedades medicinais ao se extrair o óleo ou ao se secar as plantas ou a raiz. Os remédios do Dr. Bach são uma essência da *vida* com propriedades de cura da planta, que não é física, sendo, portanto, algo abstrato. Não pode ser medida nem analisada como uma substância química nem como uma droga, e, assim, o elemento forte não pode ser extraído nem identificado. Tentar examinar as propriedades de cura de um modo científico seria como adotar uma abordagem científica para explicar por que nos comovemos com certa música, ou por que poderíamos nos sentir calmos com a visão do mar. Esses fenômenos não podem ser classificados pela análise, mas, sem embargo, eles existem. Dá-se o mesmo com os remédios. As energias de cura que lhes são próprias simplesmente aumentam nossas vibrações e desobstruem os canais dentro de nossa mente, de modo que podemos abordar a vida de modo mais positivo. E, com a volta da força interior e da harmonia, os próprios processos de cura naturais do corpo estão prontos para começar.

Os remédios, pois, nos ajudam a ajudar a nós mesmos. Dessarte, não pense neles como sendo um medicamento, mas como parte da vida – uma parte de você. Tome-os quando deles necessitar, justo como você haveria de se alimentar quando estivesse com fome ou beber quando estivesse com sede. Se sentir medo, tome *Mimulus*; se se sentir impaciente, tome *Impatiens.* É tão simples quanto comer ou beber!

O Período de Tratamento

Freqüentemente, as pessoas querem saber quanto tempo deveriam tomar os remédios, e quando deveriam esperar para ver alguma melhoria. Não há uma única resposta definitiva, devido ao fato de cada pessoa ser uma entidade separada, e toda situação uma situação única. Cada um de nós terá uma abordagem um pouco diferente e, assim, há muitas considerações a serem estimadas. Entretanto, estados de espírito em geral passageiros, e emoções que súbito se desenvolveram, ou recentemente, não demorarão muito a ser corrigidos. Talvez bastem apenas algumas doses. Porém, para os problemas que se tornaram profundamente enraizados e firmemente estabelecidos, talvez evoluindo por um período de alguns meses, anos ou até décadas, a cura será um processo mais gradual e, naturalmente, levará mais tempo.

Freqüentes vezes é numa percepção tardia das coisas que a pessoa nota que certa melhoria tem ocorrido. E, devido ao fato de os remédios agirem de modo tão sutil e suave, vez por outra uma mudança no estado de espírito ocorre sem que percebamos. O nosso verdadeiro eu começa a emergir uma vez mais, e, assim como o encontro com um velho amigo, logo retornam a familiaridade e o arrebatamento interior reconfortante. Isso é, obviamente, como deveria ser e, assim, a sensação não é de modo nenhum rara. Apesar de tudo, é a negatividade – a depressão, a ansiedade, a revolta – o que parece incomum. O aspecto positivo que buscamos alcançar – a confiança, a coragem, a serenidade, a alegria – já se encontra naturalmente dentro de nós. Desse modo, quando esse aspecto positivo é novamente despertado, tornamo-nos pessoas diferentes, somos mais uma vez nós próprios.

Portanto, a resposta já está dentro de nós, mas podemos ajudar nosso processo de cura com um pensamento positivo. E, embora isso possa ser difícil no começo, os remédios nos ajudarão a nos sentirmos mais otimistas e, assim, nos darão esperança e elevarão nossos ânimos. A má saúde é, antes, como um lance de escadas: quanto mais duradouro e mais longo o sofrimento, mais longa e mais íngreme a escada. Porém, à medida que tomamos os remédios, começamos a escalar, um degrau por vez, até que, por fim, alcançamos o topo. Poderíamos subir degrau por degrau lentamente, ou poderíamos saltar os primeiros rápida e facilmente. Poderíamos parar em todos freqüentemente, para recuperar o fôlego. Cada um de nós se aproximará da escada de um modo diferente; porém, seja como for que a enfrentemos, a caminhada será sempre para a frente. Remédios há que nos ajudam quando perdemos nossa via, ou quando nos encontramos de volta ao ponto de partida, ou quando estamos inseguros e com medo acerca do próximo passo a ser dado.

A vida está repleta de desafios – agradáveis, bem como desagradáveis –, porém o que quer que se apresente como uma pedra no caminho de nossa vida, ele está lá com um propósito, para nos ajudar a aprender acerca da vida e para nos dar experiência. Há algo que aprender com todas as experiências, boas e más, e sempre há algo a se adquirir, pois não importa quão negativa possa parecer uma situação: há sempre um aspecto positivo a ser considerado. Tendo suportado o sofrimento, qualquer que seja ele, cabe a nós atentar para esses sinais de alerta caso eles voltem, e corrigir o desequilíbrio antes que ele tenha uma oportunidade de nos fazer sentir novamente tão doentes. E é *essa* a nossa lição. Os remédios estão lá para nos ajudar e guiar, porém o verdadeiro progresso – a nossa cura real – vem de dentro de nós.

LEITURA COMPLEMENTAR

Este livro há de ter fornecido informações básicas acerca dos princípios e dos métodos práticos do sistema de cura de Bach. A palavra-chave é "simplicidade", e o tema não é complexo; desse modo, não é necessário muita leitura. Entretanto, há muito mais para se aprender acerca dos Remédios de Bach do que se pode fornecer aqui; assim, eis uma lista de outros livros que o ajudarão a entender o Dr. Bach e sua obra.

Maiores informações sobre a Medicina Floral e os frascos dos 38 remédios podem ser obtidos em:

The Headquarters, The Dr. Bach Centre,
Mount Vernon, Sotwell, Wallingford,
Oxon, 0X10 0PZ UK - England

Leia também:

Os Remédios Florais do Dr. Bach

DR. EDWARD BACH

Problemas de saúde frequentemente têm suas origens na mente; sentimentos que foram persistentemente reprimidos irão emergir, primeiro, como conflitos mentais e, depois, como doença física.

O Dr. Edward Bach, um médico inglês, depois de atuar como bacteriologista num hospital de Londres e de obter êxito profissional com suas vacinas orais, resolveu morar numa floresta de Gales, na Grã-Bretanha. Desanimado com a medicina ortodoxa, lá descobriu que tinha uma sensibilidade tal que lhe permitia sentir as energias transmitidas pelas flores apenas tocando-as ou colocando na boca as gotas que o orvalho deixava sobre elas. Ao mesmo tempo constatou que, enquanto algumas flores eram capazes de provocar sentimentos negativos, outras tinham a propriedade de anulá-los. Entre 1930 e 1934, o Dr. Bach identificou 38 flores silvestres entre essas últimas e escreveu os fundamentos da sua nova medicina.

De volta à civilização, verificou na prática a eficácia dos medicamentos florais e compreendeu a grande ajuda que poderiam dar à humanidade doente. O Dr. Bach dizia que "o medicamento deve atuar sobre as causas e não sobre os efeitos, corrigindo o desequilíbrio emocional no campo energético". Estes remédios atuam sobre a desarmonia profunda do paciente e, assim fazendo, formam a base para a recuperação dos sintomas físicos.

A terapia das flores age no plano mais sutil da pessoa; seu efeito, reconhecido em 1976 pela Organização Mundial da Saúde, se constitui de grande ajuda à humanidade nestes momentos de transição, auxiliando a harmonização dos corpos (etérico, emocional e mental) e facilitando o livre fluxo das energias superiores através da personalidade.

Neste livro fascinante, o Dr. Bach nos traz explicações sobre sua terapia floral e sobre sua aplicação em cada circunstância, assim como sobre a natureza das enfermidades e a forma de dominá-las, permitindo que o organismo humano descubra o seu caminho até a verdadeira saúde interior.

Impresso por :

Graphium
gráfica e editora

Tel.:11 2769-9056